KIFFE KIFFE DEMAIN

Paru dans Le Livre de Poche :

DU RÊVE POUR LES OUFS

FAÏZA GUÈNE

Kiffe kiffe demain

HACHETTE LITTÉRATURES

ISBN : 978-2-253-11375-1 – 1re publication LGF

Pour ma mère
et mon père.

C'est lundi et comme tous les lundis, je suis allée chez Mme Burlaud. Mme Burlaud, elle est vieille, elle est moche et elle sent le Parapoux. Elle est inoffensive mais quelquefois, elle m'inquiète vraiment. Aujourd'hui, elle m'a sorti de son tiroir du bas une collection d'images bizarres, des grosses taches qui ressemblaient à du vomi séché. Elle m'a demandé à quoi ça me faisait penser. Je lui ai dit et elle m'a fixée de ses yeux globuleux en remuant la tête comme les petits chiens mécaniques à l'arrière des voitures.

C'est le lycée qui m'a envoyée chez elle. Les profs, entre deux grèves, se sont dit que j'avais besoin de voir quelqu'un parce qu'ils me trouvaient renfermée... Peut-être qu'ils ont raison, je m'en fous, j'y vais, c'est remboursé par la Sécu.

Je crois que je suis comme ça depuis que mon père est parti. Il est parti loin. Il est retourné au Maroc épouser une autre femme sûrement plus jeune et plus féconde que ma mère. Après moi, Maman n'a plus réussi à avoir d'enfant. Pourtant, elle a essayé longtemps. Quand je pense qu'il y a des filles qui font pas exprès de tomber enceintes du premier coup... Papa, il voulait un fils. Pour sa fierté, son nom, l'honneur de la famille et je suppose encore plein d'autres raisons stupides. Mais il n'a eu qu'un enfant et c'était une fille. Moi. Disons que je correspondais pas tout à fait au désir du client. Et le problème, c'est que ça se passe pas comme à Carrefour : y a pas de service après-vente. Alors un jour, le barbu, il a dû se rendre compte que ça servait à rien d'essayer avec ma mère et il s'est cassé. Comme ça, sans prévenir. Tout ce dont je me souviens, c'est que je regardais un épisode de la saison 4 de *X-Files* que j'avais loué au vidéo club d'en bas de ma rue. La porte a claqué. À la fenêtre, j'ai vu un taxi gris qui s'en allait. C'est tout. Ça fait plus de six mois maintenant. Elle doit déjà être enceinte la paysanne qu'il a épousée. Ensuite, je sais exactement comment ça va se passer : sept jours après l'accouchement, ils vont célébrer le baptême et y inviter tout le village. Un orchestre de vieux cheikhs avec leurs tambours en peau de chameau viendra spécialement pour l'occasion. À lui, ça va lui coûter une vraie fortune – tout l'argent de sa retraite d'ouvrier chez Renault. Et puis, ils égorgeront un énorme mouton pour donner un prénom au bébé. Ce sera Mohamed. Dix contre un.

Quand Mme Burlaud me demande si mon père me manque, je réponds « non » mais elle me croit pas. Elle est perspicace comme meuf. De toute façon, c'est pas grave, ma mère est là. Enfin, elle est présente physiquement. Parce que dans sa tête, elle est ailleurs, encore plus loin que mon père.

Le ramadan a commencé depuis un peu plus d'une semaine. J'ai dû faire signer à Maman un papier de la cantine précisant pourquoi je ne mangeais pas ce trimestre. Quand je l'ai donné au proviseur, il m'a demandé si je me foutais de sa gueule. Le proviseur, il s'appelle M. Loiseau. Il est gros, il est con, quand il ouvre la bouche ça sent le vin de table Leader Price et en plus il fume la pipe. À la fin de la journée, c'est sa grande sœur qui vient le chercher en Safrane rouge à la sortie du lycée. Alors quand il veut jouer le proviseur autoritaire, il est loin d'être crédible.

Donc M. Loiseau m'a demandé si je me foutais de sa gueule parce qu'il a cru que le papier, je l'avais signé à la place de ma mère. Il est vraiment con, parce que si j'avais voulu imiter une signature, j'en aurais fait une vraie. Là, Maman avait juste fait une vague forme qui tremble. Elle a pas l'habitude de tenir un stylo entre ses mains. Ducon, il s'est même pas posé la question. Il doit faire partie de ces gens qui croient que l'illettrisme, c'est comme le sida. Ça existe qu'en Afrique.

Y a pas très longtemps, Maman a commencé à travailler. Elle fait le ménage dans un hôtel Formule 1 à Bagnolet, en attendant de trouver autre chose, j'espère bientôt. Parfois, quand elle rentre tard le soir, elle pleure. Elle dit que c'est la fatigue. Pendant le ramadan, elle lutte encore plus parce qu'à l'heure de la coupure, vers 17 h 30, elle est encore au travail. Alors pour manger, elle est obligée de cacher des dattes dans sa blouse. Elle a carrément cousu une poche intérieure histoire que ça fasse plus discret parce que si son patron la voyait, elle se ferait engueuler.

Au Formule 1 de Bagnolet, tout le monde l'appelle « la Fatma ». On lui crie après sans arrêt, et on la surveille pour vérifier qu'elle pique rien dans les chambres.

Et puis, le prénom de ma mère, c'est pas Fatma, c'est Yasmina. Ça doit bien le faire marrer, M. Schihont, d'appeler toutes les Arabes Fatma, tous les Noirs Mamadou et tous les Chinois Ping-Pong. Tous des cons, franchement...

M. Schihont, c'est son responsable. Il est alsacien. Parfois, je souhaite qu'il crève au fond d'une cave, bouffé par les rats. Quand je dis ça, Maman m'engueule. Elle dit que c'est pas bien de souhaiter la mort, même à son pire ennemi. Un jour, il l'a insultée et quand elle est rentrée, elle a pleuré super fort. La dernière fois que j'ai vu quelqu'un pleurer comme ça, c'était Myriam quand elle s'était fait pipi dessus en classe de neige. Cet enfoiré de M. Schihont, il a cru que Maman se moquait de lui parce qu'avec son accent elle prononce son nom « Schihant ».

Depuis que le vieux s'est cassé, on a eu droit à un défilé d'assistantes sociales à la maison. La nouvelle, je sais plus son nom. C'est un truc du genre Dubois, Dupont, ou Dupré, bref un nom pour qu'on sache que tu viens de quelque part. Je la trouve conne et en plus, elle sourit tout le temps pour rien. Même quand c'est pas le moment. Cette meuf, on dirait qu'elle a besoin d'être heureuse à la place des autres. Une fois, elle m'a demandé si je voulais qu'on devienne amies. Moi, comme une crapule, je lui ai répondu qu'il y avait pas moyen. Mais je crois que j'ai gaffé parce que j'ai senti le regard de ma mère me transpercer. Elle devait avoir peur que la mairie ne nous aide plus si je devenais pas copine avec leur conne d'assistante.

Avant Mme Dumachin, c'était un homme... Ouais, son prédécesseur, c'était un monsieur, un assistant de la mairie. Il ressemblait à Laurent Cabrol, celui qui présentait « La Nuit des héros » sur TF1 le vendredi soir. C'est dommage que ce soit fini. Maintenant Laurent Cabrol, il est en bas à droite de la page 30 du *TV Mag* en tout petit, habillé en polo à rayures jaunes et noires, en train de faire une pub pour les chauffages thermiques. Donc, l'assistant social c'était son sosie. Tout le contraire de Mme Dutruc. Il plaisantait jamais, il souriait jamais et il s'habillait comme le professeur Tournesol dans *Les Aventures de Tintin*. Une fois, il a dit à ma mère qu'en dix ans de métier, c'était la première fois qu'il voyait « des gens comme nous avec un enfant seulement par famille ». Il ne l'a pas dit mais il devait penser « Arabes ». Quand il venait à la maison, ça lui faisait exotique. Il regardait bizarre les bibelots qui sont posés sur le meuble, ceux que ma mère a rapportés du Maroc après son mariage. Et puis comme on marche en babouches à la maison, quand il entrait dans l'appartement, il enlevait ses chaussures pour faire bien. Sauf que lui, il avait des pieds bioniques, son deuxième doigt était au moins dix fois plus long que le gros orteil. On dirait qu'il faisait des doigts d'honneur à l'intérieur de ses chaussettes. Et puis il y avait l'odeur. Il jouait le type compatissant mais c'était un mytho. Rien du tout. Il en avait rien à foutre de nous. D'ailleurs, il a arrêté le travail d'assistant social. Il s'est installé à la campagne à ce qu'il paraît. Si ça se trouve, il s'est reconverti en maître fromager. Il passe avec sa camionnette bleu ciel dans les petits villages de la bonne vieille France, le dimanche après la messe, et vend du pain de seigle, du roquefort tradition et du saucisson sec.

Mme Duquelquechose, même si je la trouve conne, elle joue mieux son rôle d'assistante sociale de quartier qui aide les pauvres. Elle fait vraiment bien semblant d'en avoir quelque chose à cirer de nos vies. Parfois, on y croirait presque. Elle me pose des questions avec sa voix aiguë. L'autre jour, elle voulait savoir ce que j'avais lu comme livre dernièrement. Je lui ai juste fait un mouvement d'épaules pour qu'elle comprenne « rien ». En vrai, je viens de finir un bouquin de Tahar Ben Jelloun qui s'appelle *L'Enfant de sable*. Ça raconte l'histoire d'une petite fille qui a été élevée comme un petit garçon parce que c'était déjà la huitième de la famille et que le père voulait un fils. En plus, à l'époque où ça se passait, y avait ni échographie, ni contraception. C'était ni repris, ni échangé.

Quel destin de merde. Le destin, c'est la misère parce que t'y peux rien. Ça veut dire que quoi que tu fasses, tu te feras toujours couiller. Ma mère, elle dit que si mon père nous a abandonnées, c'est parce que c'était écrit. Chez nous, on appelle ça le mektoub. C'est comme le scénario d'un film dont on est les acteurs. Le problème, c'est que notre scénariste à nous, il a aucun talent. Il sait pas raconter de belles histoires.

Ma mère, elle s'imaginait que la France, c'était comme dans les films en noir et blanc des années soixante. Ceux avec l'acteur beau gosse qui raconte toujours un tas de trucs mythos à sa meuf, une cigarette au coin du bec. Avec sa cousine Bouchra, elles avaient réussi à capter les chaînes françaises grâce à une antenne expérimentale fabriquée avec une couscoussière en Inox. Alors quand elle est arrivée avec mon père à Livry-Gargan en février 1984, elle a cru qu'ils avaient pris le mauvais bateau et qu'ils s'étaient trompés de pays. Elle m'a dit que la première chose qu'elle avait faite en arrivant dans ce minuscule F2, c'était de vomir. Je me demande si c'étaient les effets du mal de mer ou un présage de son avenir dans ce bled.

La dernière fois que nous sommes retournées au Maroc, j'étais égarée. Je me souviens des vieilles tatouées qui venaient s'asseoir à côté de Maman pendant les mariages, baptêmes ou circoncisions.

– Tu sais, Yasmina, ta fille devient une femme, il faudrait que tu penses à lui trouver un garçon de bonne famille. Tu connais Rachid ? Le jeune homme qui fait de la soudure...

Bande de vieilles connes. Moi je le connais celui-là ! Tout le monde l'appelle « Rachid l'âne bâté ». Même les petits de six ans le mettent à l'amende et se foutent de sa gueule. En plus, il lui manque quatre dents, il sait même pas lire, il louche et il sent la pisse. Là-bas, il suffit que tu aies deux petites excroissances sur la poitrine en guise de seins, que tu saches te taire quand on te le demande, faire cuire du pain et c'est bon, t'es bonne à marier. Maintenant de toute façon, je crois qu'on retournera plus jamais au Maroc. Déjà, on a plus les moyens et ma mère dit que ce serait une trop grande humiliation pour elle. On la montrerait du doigt. Elle croit que c'est de sa faute ce qui est arrivé. Pour moi, il y a deux responsables dans cette histoire : mon père et le destin.

L'avenir ça nous inquiète mais ça devrait pas, parce que si ça se trouve, on en a même pas. On peut mourir dans dix jours, demain ou tout à l'heure, là, juste après. C'est le genre de trucs qui prévient pas. Y a ni préavis, ni relance. Pas comme pour la facture EDF en retard. C'est comme mon voisin M. Rodriguez, mon voisin du douzième étage, celui qui a fait la guerre en vrai. Il est mort y a pas longtemps. Bon, OK, il était vieux, mais quand même, on s'y attendait pas.

J'y pense à la mort des fois. Ça m'arrive même d'en rêver. Une nuit, j'assistais à mon enterrement. Y avait presque personne. Juste ma mère, Mme Burlaud, Carla, la Portugaise qui nettoie les ascenseurs de la tour, Leonardo DiCaprio de *Titanic*, et ma copine Sarah qui a déménagé à Trappes quand j'avais douze ans. Mon père, il était pas là. Il devait s'occuper de sa paysanne enceinte de son futur Momo pendant que moi, eh ben j'étais morte. C'est dégueulasse. Son fils, je suis sûre qu'il sera bête, encore plus bête que Rachid le soudeur. J'espère même qu'il va boiter, qu'il aura des problèmes de vue et qu'à la puberté, il aura plein d'acné. En plus, dans leur bled paumé, y aura pas moyen d'avoir du Biactol ou de l'Eau Précieuse pour soigner ses boutons. Sauf peut-être au marché noir s'il se débrouille bien. De toute façon, ce sera un raté, c'est sûr. Dans cette famille, la connerie, ça se transmet de père en fils. À seize ans, il vendra des pommes de terre et des navets sur le marché. Et sur le chemin du retour, sur son âne noir, il se dira : « Je suis un type glamour. »

Plus tard, moi, je voudrais travailler dans un truc glamour, mais je sais pas où exactement... Le problème, c'est qu'en cours, je suis nulle. Je touche la moyenne juste en arts plastiques. C'est déjà ça mais je crois que pour mon avenir, coller des feuilles mortes sur du papier Canson, ça va pas trop m'aider. En tout cas, j'ai pas envie de me retrouver derrière la caisse d'un fast-food, obligée de sourire tout le temps en demandant aux clients : « Quelle boisson ? Menu normal ou maxi ? Sur place ou à emporter ? Pour ou contre l'avortement ? » Et de me faire engueuler par mon responsable si je mets trop de frites à un client parce qu'il m'aurait souri... C'est vrai, ça aurait pu être l'homme de ma vie celui-là. Je lui aurais fait une réduction sur son menu, il m'aurait emmenée à Hippopotamus, m'aurait demandée en mariage, et on aurait vécu heureux dans son sublime F5.

On a reçu des coupons de la CAF. Ça tombe bien, je serai pas obligée d'aller au Secours populaire du centre-ville, c'est trop l'affiche. Une fois, avec ma mère, on a croisé Nacéra la sorcière à côté de l'entrée. C'est une dame qu'on connaît depuis longtemps. Maman lui emprunte de l'argent quand on est vraiment en galère. Je la déteste. Elle se souvient qu'on lui doit du flouse que dans les moments où il y a grave du monde, tout ça pour foutre la honte à ma mère. Donc on croise Nacéra la sorcière à l'entrée du Secours populaire. Maman était très mal à l'aise mais l'autre, elle avait l'air ravie.

– Alors, Yasmina, tu viens au Secours populaire pour... récupérer ?

– Oui...

– Moi, je viens pour... donner !

– Dieu te le rendra...

Pff... J'espère que Dieu lui rendra rien du tout à part sa méchanceté de vieille laide. Finalement, on est rentrées à la maison sans rien récupérer, parce que Maman voulait pas choisir les vêtements de la sorcière sans le faire exprès. Ça lui donnerait encore une raison d'ouvrir sa grande bouche, genre « mais c'est ma jupe que tu portes ». J'étais fière de ma mère. C'est ça la dignité, le genre de trucs qu'on t'apprend pas à l'école.

En parlant d'école, j'ai un devoir à rendre en éducation civique sur la notion de respect. C'est M. Werbert qui nous l'a demandé. Ce prof, il est gentil mais j'aime pas trop qu'il me parle car j'ai l'impression de lui faire pitié et j'aime pas ça. C'est comme au Secours populaire avec Maman quand la vieille à qui on demande un sac en plastique pour mettre les pulls qu'on a choisis nous regarde avec ses yeux mouillés. À chaque fois, on a envie de lui rendre ses pulls et de se tirer. M. Werbert, c'est pareil. Il se la joue prophète social. Il me dit que si j'ai besoin, je peux prendre rendez-vous avec lui... Tout ça pour se donner bonne conscience et raconter à ses potes dans un bar parisien branché comme c'est difficile d'enseigner en banlieue. Beurk.

Qu'est-ce que je pourrais dire sur la notion de respect ? De toute façon, les profs, ils s'en foutent des devoirs. Je suis sûre qu'ils les lisent pas. Ils te mettent une note au pif, rangent les copies et vont se réinstaller sur le canapé en cuir, entre leurs deux gosses, Paméla, dix ans, qui joue à Barbie lave-vaisselle, et Brandon, douze ans, en train de manger ses crottes de nez. Sans oublier Marie-Hélène qui vient de commander le repas chez le traiteur parce qu'elle avait la flemme de préparer le dîner et qui lit un article sur l'épilation à la cire dans *Femme actuelle*. Voilà, ça c'est irrespectueux par exemple. L'épilation à la cire ça fait mal, et faire mal, c'est manquer de respect.

De toute façon, je veux arrêter. J'en ai marre de l'école. Je me fais chier et je parle avec personne. En tout, y a que deux personnes à qui je peux parler pour de vrai. Mme Burlaud et Hamoudi, un des grands de la cité. Il doit avoir environ vingt-huit ans, il traîne toute la journée dans les halls du quartier et, comme il me dit souvent, il m'a connue alors que j'étais « pas plus haute qu'une barrette de shit ».

Hamoudi, il passe son temps à fumer des pétards. Il est tout le temps déconnecté et je crois que c'est pour ça que je l'aime bien. Tous les deux, on n'aime pas notre réalité. Parfois quand je reviens des courses, il m'arrête dans le hall pour discuter. Il me dit « juste cinq minutes... », et on reste une heure ou deux à parler. Enfin, surtout lui. Souvent, il me récite des poèmes d'Arthur Rimbaud. Du moins le peu qu'il se rappelle, parce que le shit, ça te bouffe la mémoire. Mais quand il me les dit avec son accent et sa gestuelle de racaille, même si je comprends pas grand-chose au texte, je trouve ça beau.

C'est trop dommage qu'il ait pas continué l'école. C'est à cause de la prison. Il m'a raconté qu'il s'était fait embarquer dans une histoire par des potes mais il veut pas me dire quoi – « c'est pas de ton âge ». Quand il est ressorti, il a tout lâché alors qu'il était loin dans les études. Au moins jusqu'au bac. Alors, quand je vois les policiers qui fouillent Hamoudi près du hall, quand je les entends le traiter de « p'tit con », de « déchet », je me dis que ces types, ils connaissent rien à la poésie. Si Hamoudi était un peu plus vieux, j'aurais bien aimé que ce soit mon père. Quand il a appris ce qui nous est arrivé, il m'a parlé longtemps. En roulant un énième joint, il m'a dit : « La famille, c'est ce qu'il y a de plus sacré. » Il sait de quoi il parle : il a huit frères et sœurs et ils sont presque tous mariés. Mais Hamoudi, il dit qu'il s'en fout du mariage, que ça sert à rien, que c'est une contrainte de plus, comme si on en avait déjà pas assez comme ça. Il a raison. Sauf que moi, j'ai plus de famille, on est plus qu'une demi-famille maintenant.

Comme je m'ennuyais, j'ai décidé de prendre le métro. Je ne savais pas où aller mais je trouve ça distrayant le métro. On voit plein de têtes, c'est marrant. J'ai fait toute la ligne 5, terminus à terminus.

Vers les premières stations, y a un Roumain avec une vieille veste en faux cuir et un chapeau gris qui est monté. Il avait un vieil accordéon tout pourri avec de la poussière sur les touches qu'il utilise jamais. Il jouait de vieux morceaux, comme ceux qu'on entend dans certains films français ou dans les documentaires chiants qui passent tard le soir à la télé. C'était marrant parce qu'il a bien animé le trajet. Même les vieux les plus coincés du wagon, je les voyais taper du pied discrétos. En plus le manouche, avec sa tête, il suivait chacun des mouvements de son instrument, et souriait de toutes ses dents, du moins celles qui lui restaient. Sa tête ressemblait à celle d'un cartoon, un peu comme le chat dans *Alice au pays des merveilles*.

J'imaginais qu'il habitait dans une caravane, qu'il était un descendant d'une grande dynastie de nomades ayant parcouru des pays et des pays ; qu'il était installé dans un camp improvisé sur un terrain vague autour de Paris ; qu'il avait une jolie femme prénommée Lucia (comme la mozzarella) avec de longs cheveux noirs qui lui descendent dans le dos en faisant de superbes boucles. Tous les deux, ils se seraient mariés sur une grande plage de la côte espagnole, autour d'un feu immense dont les grandes flammes rouges dansaient au milieu de la nuit. C'est comme ça que ça avait dû se passer. À chaque fois qu'il changeait de wagon, je le suivais pour profiter de sa poésie d'accordéon. Mais à la fin j'ai eu la honte. Il est venu vers moi en me tendant son gobelet en carton Quick rempli de centimes, eh ben moi j'avais rien à lui donner. Alors j'ai fait vraiment un sale truc, ce que les crevards qui veulent pas donner font d'habitude. Dès que le bonhomme est arrivé vers moi, j'ai tourné ma tête de l'autre côté genre « je regarde ce qui se passe sur le quai d'en face ». Et comme par hasard, il ne se passait rien sur le quai d'en face.

Si je gagne la super cagnotte de mercredi, je lui offrirai une superbe caravane tout équipée, ce sera la plus belle du campement. Elle ressemblera à celles qu'on pouvait gagner à la grande vitrine du dimanche au « Juste Prix ».

Ensuite, je m'achèterai de nouvelles moufles pour l'hiver, pas trouées parce que dans les miennes, y a de l'air froid qui rentre. À la moufle gauche, il y a un trou au majeur. Je me dis qu'un jour ça va m'attirer des ennuis.

Et puis j'emmènerai Maman chez la manucure parce que la dernière fois, elles en parlaient avec Mme Dutruc, l'assistante sociale de la mairie, et ma mère, elle savait pas ce que c'était. Elle se regardait les ongles qui étaient très abîmés à cause des produits d'entretien made in Tchernobyl et elle les comparait avec les ongles de Mme Dumachin. L'autre bouffonne, elle frimait parce qu'elle avait des ongles super propres, super limés, super vernis. Elle se grattait même le coin de l'œil avec l'auriculaire, la bouche un peu ouverte, comme les filles qui se mettent du mascara à la télé. Juste pour flamber, pour faire voir ses ongles parfaits à ma mère qui savait pas ce que c'était qu'une manucure. J'avais envie de les lui arracher un par un.

Bref, en sortant du métro, je suis passée devant deux Pakistanais qui vendaient des marrons chauds et des cacahuètes grillées. Ils arrêtaient pas de répéter la même phrase : « Marrons chauds et cacahuètes grillées pour réchauffer ! » Ils le disaient en chœur et en musique avec l'accent pakistanais. La phrase, elle a fini par s'imprimer dans mon cerveau et le soir en rentrant je la chantais pendant que je faisais cuire du riz pour Maman.

Vendredi. Maman et moi, on est invitées chez Tante Zohra pour manger son couscous. On a pris le train tôt le matin pour passer toute la journée chez elle. Ça faisait bien longtemps qu'on nous avait pas invitées quelque part.

Tante Zohra, c'est pas ma vraie tante mais comme elle connaît Maman depuis très longtemps, je l'appelle comme ça, par habitude. Avant, elles allaient à la couture ensemble. Ensuite, Tante Zohra a déménagé à Mantes-la-Jolie. Ma mère m'a expliqué qu'elle s'était inscrite au cours de couture parce qu'il n'y avait pratiquement que des Maghrébines et que ces réunions de femmes le mercredi après-midi autour de leurs machines à coudre Singer des années quatre-vingt, ça lui rappelait un peu le bled.

Tante Zohra, elle a de grands yeux verts et elle rit tout le temps. C'est une Algérienne de l'Ouest, de la région de Tlemcen. En plus, elle a une histoire marrante, parce qu'elle est née le 5 juillet 1962, le jour de l'indépendance de l'Algérie. Dans son village, elle était l'enfant symbole de la liberté pendant des années. C'était le bébé porte-bonheur et c'est pour ça qu'on l'a appelée Zohra. Ça veut dire « chance » en arabe.

Je l'aime beaucoup, parce que c'est une vraie femme. Une femme forte. Son mari, il est retraité des travaux publics et il a épousé une deuxième femme là-bas au pays, alors il reste six mois là-bas et six mois en France. C'est une mode ou quoi ? Tous, ils décident de se refaire une vie à l'âge de la retraite et d'épouser une femme plus fraîche. La différence, c'est que le mari de Tante Zohra il a su tempérer. Il fait du mi-temps...

Elle, on dirait que ça la dérange pas de voir son mari six mois sur douze. Elle dit qu'elle est tranquille sans lui, qu'elle peut s'amuser. Et puis, elle a dit à Maman en riant qu'un homme de cet âge-là, ça lui sert plus à rien. J'ai pas trop bien compris au début. Ensuite, j'ai imaginé.

Je suis restée un peu avec les fils de Tante Zohra, Réda, Hamza et Youssef. Ils ont passé presque tout leur temps à jouer à la console. C'étaient des jeux comme on voit dans les reportages sur « les enfants et la violence ». Le principe c'était de faire des records de vitesse en voiture en renversant le maximum de piétons possible, t'avais des bonus de points si c'étaient des enfants ou des vieilles dames... Les garçons, je les connais depuis toute petite mais je parle plus beaucoup maintenant. Alors c'était un peu tendu, on savait pas trop quoi se dire. Ils se sont même foutus de ma gueule à cause de ça. Ils me comparaient à Bernardo dans *Zorro*, le petit qui avait trop l'air con et qui faisait deviner les dangers à Zorro par un système de signes. Il était muet le pauvre type.

Un moment, j'ai entendu des bouts de conversation entre Maman et Tante Zohra sur mon père. Maman lui disait qu'il ira pas au paradis pour ce qu'il a fait à sa fille. À mon avis, il ira pas non plus pour ce qu'il a fait à Maman. Le videur du paradis, il le laissera pas entrer. Il va le dégager direct. Et puis ça m'énerve qu'on reparle encore de lui. Il est plus là maintenant. On a qu'à l'oublier c'est tout.

Ce qui fait la particularité du couscous de Tante Zohra, ce sont les pois chiches et la manière très délicate avec laquelle elle traite sa semoule. Elle m'amuse beaucoup Tante Zohra. Ça fait plus de vingt ans qu'elle est en France et elle parle toujours comme si ça faisait une semaine qu'elle avait débarqué à Orly.

Une fois, il y a longtemps, elle expliquait à Maman qu'elle a inscrit Hamza au « gigot ». Maman, sur le coup, elle n'a rien compris. Et quelques jours plus tard, à la maison, elle se met à rigoler toute seule. Elle a compris que Tante Zohra voulait dire qu'elle avait inscrit Hamza au judo... Même ses fils se moquent d'elle. Ils disent qu'elle fait des remix de la langue de Molière. Ils l'appellent « DJ Zozo ».

À la fin de la journée, Youssef nous a ramenées en voiture. Il a mis du rap et personne n'a dit un seul mot de tout le trajet. Je voyais que Maman était pensive. Elle avait la tête tournée vers la vitre, elle regardait dans le vide. Quand on s'arrêtait, elle observait le feu rouge sans détacher les yeux. Elle devait encore avoir la tête ailleurs.

Youssef, il conduit vite, il est grand et il est très beau. Quand on était petits, on était dans la même école primaire, il me défendait tout le temps parce que j'avais pas de frère et que lui, c'était un « grand de CM2 ». Je me souviens qu'on avait fait ensemble l'opération « Un grain de riz peut sauver une vie » quand il y a eu la famine en Somalie dans les années quatre-vingt-dix. Il m'avait fait croire que c'était vrai le slogan, que pour chaque grain de riz qu'on envoyait là-bas, on sauvait vraiment une vie. Alors avec le sachet de riz de cinq cents grammes que Maman m'avait acheté à Casino, j'étais trop fière d'avoir sauvé autant de vies. C'était limite si j'avais pas eu envie de compter chaque grain du paquet pour être bien sûre que, grâce à moi, y a plein de Somaliens qu'allaient pas mourir de faim. Je me prenais pour Wonderwoman. Mais c'était faux son histoire. Je lui en veux toujours d'ailleurs à ce con... À ce propos, je n'ai jamais su si mon sachet de riz était bien arrivé à destination.

Arrivés en bas de notre immeuble, Maman a remercié Youssef et puis il est reparti. Le gardien de nos immeubles, il s'en fout de l'état des tours on dirait. Heureusement que des fois Carla la femme de ménage portugaise nettoie un peu. Mais quand elle vient pas, ça reste bien dégueulasse pendant des semaines, comme là ces derniers temps. Dans l'ascenseur, y avait de la pisse et des mollards, ça sentait mauvais, mais on était quand même contentes que ça marche. Heureusement qu'on connaît l'emplacement des boutons par rapport aux étages, parce que la plaquette est grattée et ça a fondu. On a dû les brûler au briquet.

Le gardien, à ce qu'il paraît, il est raciste. C'est Hamoudi qui me l'a dit. Moi, j'en sais rien, je ne lui ai jamais parlé. Il me fait un peu peur. Il a tout le temps les sourcils froncés, ça lui fait deux traits au milieu du front comme un onze.

Hamoudi, il me disait qu'avant d'être gardien de nos blocs, dans le temps, il a fait la guerre dans le pays de Tante Zohra, en Algérie. C'est peut-être à cause de ça qu'il a pas de lobes d'oreilles et qu'il lui manque un pouce à la main gauche. Pour lui, la guerre elle doit pas être encore tout à fait terminée, et je crois que c'est aussi le cas de plein d'autres gens dans ce pays...

Mme Burlaud vient de me proposer un truc chelou : un séjour aux sports d'hiver organisé par la municipalité. Elle a insisté en disant que ce serait très bénéfique pour moi, que j'allais rencontrer du monde, me couper un peu du quartier. Ça devrait peut-être m'aider à m'ouvrir aux autres.

Je veux pas y aller parce que j'ai pas envie d'abandonner ma mère, même si c'est rien qu'une semaine. Et puis les séjours en groupe, avec des gens que j'ai même pas choisis, hors de question ! Rien que le voyage, même pas en rêve. Huit heures dans un car qui pue le vomi, où on chante des chansons des années quatre-vingt et où on fait des pauses-pipi toutes les demi-heures, laisse tomber !

Au début Mme Burlaud elle croyait que c'était à cause des sous que je voulais pas y aller.

– Tu sais comment ça se passe, on en a déjà discuté ensemble. Ça va rien coûter à ta mère si c'est ça qui te préoccupe...

De toute façon, le ski ça pue la merde. C'est comme si tu faisais du toboggan debout avec un bonnet et une combinaison boudinante et fluo. Je le sais, j'ai déjà regardé des compétitions de ski à la télé.

Mme Burlaud, je suis sûre qu'elle y va tous les hivers au ski mais qu'elle fait jamais de ski. Juste elle flambe sur les terrasses avec un chocolat chaud, son bonnet rose à pompons et son mari à côté qui prend des photos avec un appareil jetable. Est-ce qu'elle en a un de mari déjà ? Je ne m'étais jamais posé la question. C'est ça qu'est relou avec les psychologues, psychiatres, psychanalystes et tout ce qui commence par « psy »... Ils veulent que tu leur racontes toute ta vie et eux, ils te disent rien. Mme Burlaud elle sait des choses sur moi que moi-même je sais pas. Après ça, t'as plus envie de leur parler. C'est de l'arnaque.

Notre assistante sociale de la mairie, par contre, elle se fait pas prier pour raconter sa vie. J'ai appris par Maman qu'elle allait se marier. Je me demande pourquoi elle a eu besoin de lui raconter ça. Nous, on s'en claque qu'elle se marie. C'est bon, elle a de la chance, on a compris, pas la peine d'en faire tout un cake. D'un autre côté, ça lui donnera une raison pour sourire tout le temps. Ça m'énervera moins.

Eh ben voilà, si ça se trouve, je dis ça par jalousie. Quand j'étais petite, je coupais les cheveux des Barbie parce qu'elles étaient blondes, et je leur coupais aussi les seins parce que j'en avais pas. En plus, c'étaient même pas de vraies Barbie. C'étaient des poupées de pauvres que ma mère m'achetait à Giga Store. Des poupées toutes nazes. Tu jouais avec deux jours, elles devenaient mutilées de guerre. Même leur prénom, c'était de la merde : Françoise. C'est pas un prénom pour faire rêver les petites filles, ça ! Françoise, c'est la poupée des petites filles qui rêvent pas.

Quand j'étais plus jeune, je rêvais d'épouser le type qui ferait passer tous les autres pour des gros nazes. Les mecs normaux, ceux qui mettent deux mois à monter une étagère en kit ou à faire un puzzle vingt-cinq pièces marqué « dès cinq ans » sur la boîte, j'en voulais pas. Je me voyais plutôt avec MacGyver. Un type qui peut te déboucher les chiottes avec une canette de Coca, réparer la télé avec un stylo Bic et te faire un brushing rien qu'avec son souffle. Un vrai couteau suisse humain.

J'imagine un super mariage, une cérémonie de ouf, une robe blanche avec plein de dentelle partout, un beau voile et une longue traîne d'au moins quinze mètres. Y aurait des fleurs et des bougies blanches. Mon témoin, ce serait Hamoudi, et les demoiselles d'honneur, les trois petites sœurs ivoiriennes qui jouent à la corde à sauter en bas de l'immeuble.

Le problème, c'est que celui qui doit me conduire à l'autel, c'est censé être mon connard de paternel. Mais comme il sera pas là, on sera obligés de tout annuler. Les invités reprendront tous leurs cadeaux de mariage et piqueront dans le buffet pour rapporter chez eux. Rien à foutre, de toute façon, avant de penser au mariage, faut d'abord trouver le mari.

La chance de notre génération, c'est qu'on peut choisir qui on va aimer toute sa vie. Ou toute l'année. Ça dépend des couples. Dans *Zone interdite*, Bernard de La Villardière parlait du problème du divorce. Il expliquait comment ça augmentait à fond. La seule raison que je vois à ce phénomène, c'est *Les Feux de l'amour*. Dans le feuilleton, ils se sont tous mariés entre eux au moins une fois, si ce n'est deux. C'est des histoires de ouf et ma mère elle suit leurs embrouilles depuis 1989. Les daronnes de la cité, elles sont toutes à fond dedans. Elles se retrouvent au square pour se raconter les épisodes que certaines ont loupés. Pire que l'époque honteuse des boys bands dont on était toutes fanatiques. Je me rappelle qu'une copine m'avait donné un poster de Filip des 2 Be 3 qu'elle avait découpé dans un magazine. Toute contente, je l'avais accroché sur le mur de ma chambre. Sur la photo, Filip, il était trop beau, il avait les dents ultrablanches, limite transparentes, et il était torse nu avec des tablettes de chocolat de dessins animés. Le soir, mon père est entré dans ma chambre. Il s'est mis dans tous ses états et a commencé à arracher le poster en criant : « Je veux pas de ça chez moi, y a le chétane dedans, c'est Satan ! » C'est pas comme ça que je l'imaginais le diable mais bon... Sur le mur vide il restait juste un tout petit morceau de poster avec le téton gauche de Filip.

Du côté du lycée, le trimestre s'est achevé aussi mal qu'il avait commencé. Heureusement que ma mère ne sait pas lire. Enfin, je dis ça surtout par rapport au bulletin... S'il y a bien un truc qui m'énerve, ce sont les profs qui font un concours d'originalité pour les appréciations. Résultat : elles sont toutes aussi connes les unes que les autres... La pire que j'aie jamais eue, c'est Nadine Benbarchiche, la prof de physique-chimie, qui l'a écrite : « Affligeant, désespérant, élève qui incite à la démission ou au suicide... » Elle pensait certainement faire de l'humour. J'avoue là, elle a fait fort. C'est vrai que je suis nulle mais bon, faut pas exagérer. De toute façon, rien à foutre de cette prof. Elle porte des strings. Sinon, ce que je retrouve toujours et que j'appelle les appréciations récurrentes, c'est : « semble perdue » ou bien « semble ailleurs » ou, pire, des trucs qui font pitié, style : « Redescendez sur terre ! » La seule qui m'a écrit un truc sympa, c'est Mme Lemoine, la prof de dessin, enfin pardon, d'arts plastiques. Elle a marqué : « Des qualités plastiques »... Bon, OK, ça veut rien dire mais c'est sympa quand même.

Malgré mes qualités plastiques, une copine de Maman a proposé que son fils vienne m'aider à faire mes devoirs. D'après elle, j'aurai plus que des bonnes notes parce que son fils Nabil, c'est un génie. J'ai remarqué que les mères arabes pensent souvent ça de leurs fils. Mais la mère de Nabil, elle abuse. Elle croit que c'est l'Einstein des HLM et elle le dit à tout le monde. Lui, il se la pète parce qu'il porte des lunettes et qu'il s'y connaît à peu près en politique. Il doit savoir vaguement la différence entre la droite et la gauche. Heureusement, ma mère n'a pas tout à fait dit oui. Elle a utilisé le joker « inchallah ». Ça veut dire ni oui, ni non. C'est « si Dieu veut » la vraie traduction. Mais ça, tu pourras jamais le savoir si Dieu il veut ou pas...

Nabil, c'est un nul. Il a de l'acné et quand il était au collège, tous les jours ou presque, il se faisait racketter son goûter à la récré. Une grosse victime. Moi je préfère les héros, comme dans les films, ceux qui font rêver les filles... Al Pacino, je suis sûre que personne pouvait lui tirer son goûter. Direct il sort le semi-automatique, il t'explose le pouce, tu peux plus le sucer le soir avant de t'endormir. Terminé.

Depuis quelques semaines, Nabil vient donc chez moi de temps en temps pour m'aider dans mes devoirs. Ce type, il se la raconte trop ! Il croit qu'il connaît tout sur tout. La dernière fois, il s'est foutu de ma gueule parce que je croyais que *Zadig*, c'était une marque de pneus. Il a rigolé pendant trois quarts d'heure rien que pour ça... Un moment, en voyant que ça ne me faisait pas rire du tout, il a dit : « Nan, mais t'inquiète pas, je plaisante, tu sais c'est pas grave, dans la vie, y a les intellectuels et y a les autres... » Bouffon. C'est sa mère qui me l'a mis dans les pattes. Sûrement qu'elle voulait se débarrasser de lui...

Mais bon, Nabil, je lui donne des circonstances atténuantes parce que ça doit pas être facile tous les jours d'avoir une mère comme la sienne. Elle est tout le temps sur son dos. Au début je croyais que son prénom à Nabil, c'était « Monfiss » parce qu'elle lui disait tout le temps ça en lui caressant la tête. À ce qu'il paraît, elle le surveille à mort et veut tout savoir sur ses copines, sa vie privée, etc. Bon, OK, il en a pas de vie privée mais quand même, ça se fait pas. Même quand il était petit, elle venait à la récré pour lui passer des petits-beurre par la grille de l'école. Dans la cité, tout le monde dit que chez eux, la mère c'est le père, et on arrête pas de se foutre de sa gueule.

– Hé ! Nabil ! Ton père il fait la vaisselle ! Ta mère elle porte des caleçons !

Vous avez vu, je fais comme les avocats des films américains qui, pour défendre un client serial killer, violeur et cannibale, racontent toute son enfance super malheureuse. Comme ça après les jurés ont pitié de lui et ils oublient un peu la cuisse d'Olivia, seize ans, qui est encore dans son congélateur...

Je crois qu'au contraire, il devrait être encore plus sympa avec les autres, Nabil. Justement parce que sa mère a foutu la merde dans sa vie et l'a forcé à lire la biographie de Jésus à onze ans.

Moi, plus tard, je sais pas si je voudrai avoir des enfants. En tout cas, je les forcerai jamais à lire la biographie de Jésus, ni à dire bonjour aux vieux s'ils ont pas envie, ni à finir leur assiette.

Et encore, si j'en ai des mômes, parce qu'en quatrième, notre prof de sciences nat nous a montré un accouchement vu de face et ça m'a sérieusement dégoûtée de la procréation.

J'en ai parlé avec Mme Burlaud lundi dernier, mais pendant cette séance, elle était un peu bizarre. Elle m'écoutait pas très bien. Elle avait l'air préoccupée. Je me demande si elle va voir un psy. Elle devrait, ça lui ferait du bien...

En plus, en ce moment, elle part en vrille. Elle me fait jouer avec de la pâte à modeler. Les formes que je fais, elles ressemblent à rien, mais elle sourit :

– Oui, d'accord, c'est intéressant !

Ça veut rien dire « c'est intéressant ». Un truc nul ça peut être intéressant pour sa nullité. Ça aussi c'est une feinte. D'un autre côté, c'est ça que j'aime bien chez Mme Burlaud : elle juge jamais.

Elle te prend toujours au sérieux, même quand tu fais un immeuble HLM en pâte à modeler mauve.

Et puis on a aussi parlé d'un truc nouveau qui m'est arrivé. J'ai eu mes règles. À vrai dire, j'étais un peu en retard par rapport aux autres filles du lycée. L'infirmière de l'école m'a expliqué que c'était héréditaire. Héréditaire ça veut dire que c'est de la faute de ta mère. Maman aussi a eu les siennes vers quinze ans. Ça devait être chaud pour elle car au bled ça existait même pas les serviettes hygiéniques. Moi avant, je croyais que les règles, c'était bleu, comme dans la pub Always, celle où ils parlent de flux, de liquide et qui passe tout le temps quand on est à table.

Mme Burlaud m'a posé plein de questions. Ça avait l'air de la passionner les règles. Elle les a jamais eues les siennes de règles ou quoi ?

Elle m'a expliqué qu'il y avait plein de filles que leurs premiers saignements avaient traumatisées. Elle m'a aussi expliqué que les règles ce n'est que le début du processus, que je vais avoir des douleurs à la poitrine à cause de ma poussée de seins et sûrement des boutons sur la figure. Ouais ! Et pourquoi pas les cheveux gras, le corps tout élastique et les yeux éteints, comme tous les ados ? Autant sauter par la fenêtre de mon habitation à loyer modéré !

J'ai remarqué qu'on se console toujours en regardant les pires que soi. Alors moi, ce soir-là je me suis rassurée en pensant à ce pauvre Nabil.

Chaque année, la fête municipale de Livry-Gargan, tout le monde s'y prépare longtemps à l'avance. Les parents, les enfants et surtout les commères du quartier parce qu'à la kermesse, tu refais ta réserve de ragots.

Y avait plein de jeux pour gamins, des stands de thé à la menthe et de pâtisseries orientales, le barbecue frites-merguez d'Élie, un animateur socioculturel du quartier, et une scène avec des groupes de musique qui défilaient. Des jeunes de la cité sont venus rapper. Y avait même des filles qui chantaient avec eux. Bon, OK, elles les accompagnaient seulement pendant deux pauvres phrases du refrain et le reste du temps, comme elles galéraient, elles se dandinaient en levant les mains en l'air. Mais c'est déjà pas mal. Un pas de plus vers la parité...

Maman m'a forcée à faire le stand pêche. Je l'ai fait pour lui faire plaisir mais c'était la zone. La moyenne d'âge des autres joueurs : 7,3 ans. Et le seul lot que j'ai été capable de pêcher, c'est une poupée en chiffon borgne avec des taches de rousseur. Je me suis affichée.

Alors après, avec Maman, on a filé voir Cheb Momo. Il vient chanter à la kermesse de Livry-Gargan tous les ans depuis 1987 avec le même musicien, le même synthé et bien sûr les mêmes chansons. C'est pas mal parce qu'à force, tout le monde finit par connaître les paroles par cœur, même ceux qui parlent pas un mot d'arabe. Et puis, ce qui est bien avec Cheb Momo, c'est que tout est d'origine, comme sa veste noire à paillettes dorées. Il se la joue beau gosse et ça marche ! Chaque année, c'est le même engouement chez les daronnes du quartier.

À la kermesse, j'ai croisé Hamoudi. Quand je suis allée le saluer, j'ai remarqué qu'il était avec une fille. Je lui ai souri comme il faut à la fille, comme si j'étais sincèrement contente de la rencontrer, alors qu'en fait pas du tout. Hamoudi m'a souri avec ses dents un peu abîmées et a dit :

– Doria, heu... je te présente Karine... ben... Karine, c'est Doria...

Il a dit ça d'un air bête et comme s'il avait pris trente ans d'un coup. En plus, il portait une chemise hawaïenne et c'était plutôt moche. J'avais l'impression d'être dans une scène de la saga du dimanche sur M6. J'étais toute perturbée. Alors j'ai regardé la fille et j'ai fait :

– Salut, Karim...

Je me suis pas rendu compte de ce que je disais. Ils m'ont fait des yeux ronds. Tous les deux ils ressemblaient à des Pokémon.

Je suis retournée voir Maman et, pour la première fois, on est restées jusqu'à la fin de la fête. Les autres années, Papa venait nous chercher pour nous ramener à la maison. Il aimait pas trop qu'on traîne. J'assistais à la clôture de la kermesse de la ville de la fenêtre du salon.

L'histoire d'Hamoudi, ça m'a rendue triste. Moi, je m'inquiétais parce que ça faisait longtemps que je l'avais pas vu. J'en ai même discuté avec Mme Burlaud. Et lui, il arrive à la kermesse au bras d'une blondasse perchée sur des talons de trente-huit centimètres prénommée Karim. En allant me coucher, dans ma tête, y avait des musiques tristes comme dans les pubs d'assurance vie. En plus, Hamoudi, il était rasé de près, il sentait le désodorisant à la lavande pour parfumer les toilettes et il avait même pas les yeux rouges. Ça lui ressemble pas. Cette quiche de Karim, elle l'a transformé. Si ça se trouve, elle lui a fait de la magie noire, je la sens bizarre. Et puis son fond de teint mal étalé, ça avait vraiment quelque chose de louche.

Ma mère m'a raconté des histoires de panique sur la sorcellerie au Maroc. Quand elle était jeune, une de ses voisines s'était fait marabouter au souk, à peine un mois avant son mariage. Ensuite elle est devenue chauve et à cause de ça, la cérémonie a été annulée. Faut faire gaffe. Ça peut arriver à tout le monde. En réfléchissant, on a tous quelqu'un qui nous veut du mal quelque part... Peut-être que Mme Burlaud, elle a maraboutè ses feutres et sa pâte à modeler pour que j'aille mal toute ma vie, histoire que je continue à venir la voir tous les lundis à 16 h 30 jusqu'à ma mort.

Ça me fait penser à un truc. L'année dernière je collectionnais les petits papiers de marabouts que les Hindous te distribuent à la sortie des escalators du métro. Y a des gens normaux qui collectionnent des timbres, des cartes postales ou des bouchons. Moi je collectionne les prospectus de marabouts.

MONSIEUR KABA
Expérience et réputation internationale.
Sérieux, efficace, rapide, discret.

Il résout tous les problèmes, renforce et attire les sentiments d'affection, d'amour, de considération, fidélité entre époux, réussite sociale, permis de conduire, chance, succès...

Reçoit tous les jours de 8 heures à 21 heures.

** Sans garantie de résultats – première consultation : 35 euros.*

Je me dis que si c'était vrai, on serait tous heureux et les gens comme Mme Burlaud ou

Mme Dubidule, l'assistante sociale de la mairie, ils seraient tous au chômage.

Je suis sûre que Karim la blondasse, elle fréquente des types comme ce M. Kaba. C'est pas une fille comme ça qu'il lui faut à Hamoudi parce que maintenant il ressemble à ces mecs trop impeccables avec leur coupe plaquée au gel qui font du porte-à-porte pour vendre des encyclopédies. Je le connais Hamoudi. Ça lui ressemble pas d'être impeccable.

Dans mon lit, j'ai pris un des livres que j'avais trouvés dans un carton en bas de l'immeuble. Des livres pourris qu'en temps normal, j'aurais jamais lus. Des romans à l'eau de rose style Barbara Cartland mais en bas de gamme, avec sur la couverture une image qui fait pitié : un couple qui s'enlace tendrement planté comme deux cons dans un décor de rêve, comme dans les photos des catalogues Tati Vacances. Le bouquin, s'il te prend l'envie de le lire dans le métro, t'as intérêt à le couvrir de papier kraft, sinon le gros Francis qui lit *Le Figaro*, tout fier, la bouche ouverte avec un putain d'air supérieur, il risque de bien se foutre de ta gueule.

Celui que j'ai pris s'appelait *Coup de foudre au Sahara* et je dois dire que je l'ai fini dans la nuit. Ça raconte l'histoire d'un nomade du désert qui s'appelle Steve – déjà à ce moment de l'histoire, tu sais que c'est de la mytho –, et Steve, il sauve une jeune institutrice rousse en vacances qui s'est viandée avec son dromadaire. Le type, il a un physique de Rachid et il s'appelle Steve mais elle, ça l'inquiète pas plus que ça. Elle tombe amoureuse de ce mec qu'elle connaît même pas, croisé entre deux dunes. C'est super con, pas crédible pour un centime, plein de clichés mais bon, t'y crois à fond. Tu réussis même à t'identifier à cette espèce de débile mentale qui a des poussées de fièvre et des hallucinations parce qu'elle est tombée de son chameau.

Hier, en allant payer le loyer à la place de Maman, la femme du gardien – celle qui est allée chez le coiffeur en 1974 faire une permanente qui tient encore aujourd'hui – m'a parlé d'une nouvelle locataire dans le quartier qui cherchait quelqu'un pour garder sa fille. Elle m'a dit que si ça m'intéressait, je pouvais aller la voir pour lui proposer mes services.

– Ça te dit pas de gagner un peu de sous ?

J'ai trouvé ça gentil qu'elle pense à moi, c'est vrai ça, elle aurait pu proposer ça à n'importe quelle fille du quartier mais non, elle a pensé à moi. Je retire tout ce que j'ai dit sur elle, sa permanente et tout le reste...

– Comme ça tu pourras t'habiller comme les autres jeunes de ton âge, hein ?

Sur le moment, j'ai pas vraiment su comment le prendre. Ça a failli me déclencher un saignement de nez. Même le fossile qui me sert de concierge se fout de ma gueule. Si j'avais voulu, j'aurais pu lui renvoyer sa réflexion dans les dents. Mais j'ai juste répondu comme une bouffonne :

– Oui, merci, j'irai, allez au revoir !

– Attends, il te manque six centimes, je peux pas tamponner ta quittance.

Vieille quiche. Je me disais que quand même, ça serait mortel que je puisse gagner un peu de sous. Il ne me manquera plus jamais six centimes pour payer le loyer.

La dame qui cherchait quelqu'un pour garder sa fille, elle s'appelle Lila et elle a trente ans. Je sais pas pourquoi mais je l'imaginais plus vieille. Je me disais qu'elle devait travailler aux Galeries Lafayette et que dans son congélateur, il y avait plein de surgelés. En fait, elle est caissière au Continent de Bondy et elle fait la cuisine. Elle porte un petit trait fin et régulier d'eye-liner sur les paupières, a de jolis cheveux bruns qui rebiquent, un beau sourire et l'accent du Sud parce qu'elle a grandi à Marseille. Et puis elle lit tout un tas de magazines féminins avec des tests un peu bidon style « Êtes-vous possessive ? » ou « Quelle séductrice êtes-vous ? ».

On s'est vues à peine une demi-heure. Elle m'a posé quelques questions puis m'a dit que, de toute façon, c'était écrit sur ma tête que j'étais quelqu'un de bien. Alors elle m'a présenté sa fille, Sarah. Elle a que quatre ans mais elle a l'air éveillée, intelligente et très craquante, alors que moi d'habitude les gosses...

Lila est séparée du père de Sarah depuis peu. C'est pour ça qu'elle est venue habiter le quartier. Elle m'a à peu près raconté comment ça s'est passé. Ses yeux étaient pleins d'amertume. Il a dû tout lui prendre. Même les compils de Daniel Guichard et de Frank Michaël qu'étaient dans le tiroir de sa commode.

– Si je te paie trois euros de l'heure tu crois que ça va ?

Elle avait dit ça d'un coup, sans que je m'y attende. En fait, elle était confuse parce qu'elle trouvait que c'était pas beaucoup trois euros, mais c'était tout ce qu'elle pouvait pour l'instant. Elle se rendait pas tout à fait compte que pour moi, trois euros de l'heure, c'est une vraie fortune. Alors j'ai juste dit :

– Oui ça va. Merci.

Et c'était un vrai merci, celui que tu dis quand tu le penses pour de vrai, quand t'es heureux et que t'as pratiquement les larmes qui te picotent au coin des yeux.

Je dois aller chercher Sarah au centre de loisirs à 17 h 30 et la garder à la maison en attendant que Lila vienne la récupérer. Je suis contente de faire ça. J'aurais bien aimé en parler à Hamoudi, mais je le vois plus. Il doit être avec cette bouffonne de Karine en train de jouer au Cluedo dans son petit salon made in Ikea.

Quand j'ai annoncé à Maman que j'allais faire du baby-sitting, ça lui a pas fait plaisir. Elle m'a dit qu'elle était capable de nous faire vivre toute seule, qu'elle pouvait assurer... Elle avait presque envie de pleurer. À table, on s'est pas dit un mot. Là, c'était pas comme dans les films. Mais comme dans la vraie vie. Et même si à la fin elle m'a dit d'accord, je sentais que ça lui foutait les boules.

En ce moment, au Formule 1 de Bagnolet, c'est la merde. Plein de collègues de Maman sont en grève. Elles ont réussi à se débrouiller avec des syndicats pour faire entendre leurs revendications.

La responsable de la grève au Formule 1, c'est Fatouma Konaré, une collègue avec qui Maman s'entend bien. Elle m'a raconté qu'au début, elle croyait que « *Fatoumakonaré* » c'était juste son prénom et elle trouvait ça long pour un prénom... Fatouma a commencé à travailler à l'hôtel de Bagnolet en 1991. À cette époque-là, moi, je savais même pas nouer mes lacets toute seule. C'est elle qui a commencé à dire tout haut que les femmes de l'hôtel se faisaient exploiter. Maman m'a dit qu'elle aurait bien aimé faire la grève avec les autres filles de l'hôtel mais qu'elle peut pas. Fatouma et les autres, elles ont leur mari qui les aide, mais nous, on est toutes seules. Résultat : comme la plupart des autres femmes de chambre sont en grève, Maman a mille fois plus de boulot.

M. Schihont, cet enfoiré qui leur sert de patron, ça doit bien l'emmerder cette histoire. C'est bien fait pour sa gueule. Maman m'a dit qu'il a déjà licencié plusieurs femmes de chambre en grève, alors qu'il a pas le droit. Il a viré une Vietnamienne qui faisait les mêmes horaires que Maman, en plus pour un faux prétexte. C'est vraiment dégueulasse. Il ira tout droit en enfer et il aura mal, il gesticulera dans tous les sens en hurlant : « C'est chaud ! Ça brûle ! » Si ça se trouve, dans la vie, M. Schihont, c'est un mec bien qui passe son temps à sourire, à faire l'aumône et à engueuler les gens qui se garent sur les places pour handicapés dans les parkings des grandes surfaces.

Elle a peut-être raison Mme Burlaud quand elle me dit que je ne supporte pas qu'on porte un jugement sur moi mais que je le fais tout le temps avec les autres. Sauf que pour M. Schihont, j'ai une marge d'erreur infime quand je dis que c'est un enfoiré.

Au lycée aussi il y a une grève. C'est comme si tout s'était arrêté autour de moi. Ça fait que quelques jours mais j'ai l'impression que ça dure depuis une éternité. M. Loiseau, le proviseur, s'est fait agresser dans les couloirs par un élève de l'extérieur. J'étais pas là, mais à ce qu'il paraît, le type, il a gazé M. Loiseau à coups de bombe lacrymogène dans la face. Il a pas de chance quand même. La rare fois où il sort de son bureau histoire de vérifier que l'établissement tient encore debout, il se fait gazer.

Depuis, au lycée, c'est la misère. Les trois quarts des enseignants n'assurent plus les cours. Il y a même Mme Benbarchiche qui accroche partout des affiches avec marqué : « MARRE DE LA VIOLENCE !! », ou encore d'autres formules chocs dignes des campagnes de pub pour la sécurité routière. C'est marrant parce que depuis le début de la grève, elle est super active. Ce serait quand même pas mal qu'elle fasse ses cours avec la même énergie que pour ses affiches. Si ça se trouve, c'est une militante. Une pure et dure. Une femme qui a une vraie conscience politique. Elle envoie peut-être même des chèques à l'UMP de temps en temps, même si elle paie pas de mine avec sa teinture noir corbeau et son rouge à lèvres fuchsia.

Le seul qui ne fait pas grève, c'est M. Lefèvre, celui qui parle comme Pierre Bellemare, le présentateur du téléachat à l'ancienne. Pour lui, cette grève, c'est bidon, et l'agression de M. Loiseau, un prétexte pour tous ces flemmards de profs.

Moi je trouve que c'est grave ce qui est arrivé. Je dis pas que M. Loiseau c'est le type le plus sympa du 9-3 mais quand même, ça aurait pas dû se passer comme ça. Et même avant qu'il se fasse gazer, c'était grave que M. Loiseau se sente en sécurité seulement dans son bureau.

En tout cas, peu d'élèves soutiennent la grève. Comme si la majorité pensait que ça servait à rien et que c'était foutu pour nous de toute façon...

La semaine dernière, Mme Dutruc, l'assistante sociale de la mairie, elle est revenue à la maison. Cette femme, c'est vraiment une fout la merde. À peine Maman lui a ouvert la porte qu'elle lui lance entre ses dents blanches et identiques :

– Oh là, vous avez mauvaise mine... ouh là là...

Elle se la pétait sûrement parce qu'elle arrivait au terme de ses douze séances d'UV offertes par les instituts de soins et de beauté La Belle Gueule pour la remercier de sa fidélité. En plus, elle a fait au moins dix fois le tour de l'appartement comme si elle visitait les catacombes.

– Il faudra penser à changer le joint du robinet de la cuisine.

Elle avait dit ça avec son air supérieur qu'elle sait trop bien prendre parfois. Je me demande si elle a pas choisi ce métier parce que ça la rassurait de s'occuper de la misère des gens. Maman a fait l'effort de lui préparer du thé à la menthe, mais elle l'a à peine bu.

– C'est vraiment très bon... (Elle faisait une bouche en cul-de-poule.) Mais par contre... heu... c'est très sucré... il faut que je fasse attention à ma ligne, et puis, vous savez ce qu'on dit... hein... une fois mariées, les femmes ont une certaine tendance à se laisser aller...

Elle s'est mise à rigoler de son rire cristallin, les yeux fermés et la main près de la bouche, à la Marilyn Monroe. Elle se prend pour qui l'autre ? Faut pas abuser, elle est mariée depuis seulement un mois cette conne.

Maman, elle s'en foutait. Elle rigolait avec elle quand même. J'ai l'impression que tout ça, ça l'atteint même pas. Je la regardais parler, assise à côté de l'autre Miss France, et je me suis dit que c'est comme ça que je voudrais être. Mme Dubidule, elle a taillé la mine de Maman, son robinet, son thé à la menthe et pourtant elle s'en fichait. Elle continuait à rigoler et à discuter avec elle.

Elle lui a même raconté la grève et la situation du Formule 1. Là, Mme Dumachin a pris un air grave et lui a proposé une formation dans une structure d'accueil pour analphabètes à Bondy. Elle y apprendrait à lire et à écrire et puis en même temps à faire les démarches pour trouver un nouveau travail. Maman aurait rien à payer. La formation est prise en charge par la mairie de Livry-Gargan.

Avant de partir, elle m'a regardée en fouillant dans son sac « Vieuthon » et elle m'a fait :

– J'ai quelque chose pour toi...

Elle a dit ça de sa voix aiguë, en séparant chaque syllabe de la phrase, ça faisait débile mentale. J'avais l'impression d'avoir huit mois et qu'elle m'annonçait qu'elle allait enfin changer ma couche ou me donner un petit pot aux artichauts à bouffer.

En fait, elle m'a donné un chèque-lire pour avoir des bouquins gratos. Je me sens régresser avec tous ces gens qui me traitent comme une assistée. Allez tous au diable.

Quand elle a fermé la porte je croyais que c'en était fini pour la soirée, mais le téléphone a sonné. C'était Tante Zohra en panique parce que des policiers sont venus chez elle à six heures du matin pour arrêter Youssef. Ils ont défoncé la porte, l'ont sorti du lit à coups de pied, mis tout sens dessus dessous dans l'appartement et l'ont emmené au poste. Au téléphone en tout cas, Tante Zohra arrêtait pas de pleurer. Elle expliquait à Maman qu'il est impliqué dans un trafic de drogue et des histoires de voitures volées. Je crois qu'elle pensait que c'était de sa faute, parce qu'elle s'était pas assez occupée de son fils. À la fin de la conversation, Maman aussi s'est mise à pleurer.

Youssef, en ce moment, il doit se faire interroger dans un bureau gris qui sent le renfermé. Moi, je sais que Youssef, c'est un mec gentil. C'est pas juste. Quand Maman a raccroché, on a un peu parlé mais des fois même les mots, ils suffisent pas. Juste, on regardait par la fenêtre et ça voulait tout dire. Dehors, il faisait gris comme la couleur du béton des immeubles et il pleuvait à très fines gouttes, comme si Dieu nous crachait dessus.

Ça fait déjà plusieurs nuits que je fais le même rêve, un de ces rêves chelous dont on se souvient parfaitement au réveil et qu'on est capable de raconter au détail près.

J'ouvrais la fenêtre et j'avais le soleil qui me tapait fort dans le visage. J'arrivais même plus à ouvrir les yeux. J'ai passé mes jambes par-dessus la fenêtre jusqu'à me retrouver assise sur le rebord, puis, d'un élan, je me suis envolée. J'allais de plus en plus haut, je voyais les HLM qui s'éloignaient et devenaient de plus en plus petits. Je battais des ailes, enfin des bras, et puis à force de les secouer pour continuer à monter, je me suis réellement cognée au mur à ma droite et ça m'a fait un énorme bleu. C'est ce qui m'a réveillée et je dois dire que c'était plutôt dur de revenir à la réalité de cette façon.

J'ai raconté mon rêve à Mme Burlaud. Elle m'a regardée en clignant des yeux et elle a dit :

– Oui, bien sûr, évidemment... Ça rejoint aussi l'épisode de l'atlas...

Ah bon. Elle appelle carrément ça un épisode. Si ça se trouve Mme Burlaud, elle est pas vraiment psy. Elle travaille peut-être dans le cinéma et s'inspire des foutaises que je lui raconte pour écrire un sitcom. Burlaud, je suis certaine que c'est un pseudo, son vrai nom, ça doit être un truc du style Laurence Bouchard. Elle fait partie de l'équipe de scénaristes qui bosse pour AB Productions. C'est ça la vérité... Le concept a peut-être déjà été lancé et la série, elle cartonnerait et commencerait à être diffusée dans le monde entier. Elle serait même doublée en japonais. Et puis moi, je toucherais aucuns droits dessus, je ferais seulement partie des millions de fans, anonyme et couillonnée, comme tous les autres.

L'épisode de l'atlas, je sais même pas pourquoi je lui ai raconté. Je sais pas non plus pourquoi je lui raconte tout le reste d'ailleurs... C'était un jour où je m'ennuyais vraiment comme un rat mort. Je suis allée au débarras récupérer l'atlas que j'avais eu en livre de prix à la fin d'année de CM2.

Un débarras, c'est comme un grenier, mais en plus petit, situé en général dans le couloir. Ça sert à entreposer des conneries dont on se sert jamais.

Bref, j'ai ouvert mon atlas au planisphère, là où le monde tient en une seule page. Et comme je galérais pas mal, j'ai tracé un itinéraire sur la carte pour partir. C'était le chemin que j'allais faire plus tard, en passant par les endroits les plus beaux du monde. Bon, j'ai dessiné le chemin au crayon de papier parce que Maman m'aurait engueulée si elle avait vu que je gribouillais au stylo sur un livre neuf. En tout cas, je me suis tracé un pur itinéraire, même si je suis encore au point de départ et que le point de départ c'est Livry-Gargan.

De toute façon, je sais pas si Maman serait d'accord pour que je me casse. Il n'y aurait personne pour lui enregistrer *Les Feux de l'amour*. Et puis personne non plus pour aller chercher Sarah au centre, et Lila, elle serait emmerdée pour trouver une autre baby-sitter. Ça me rappelle que quand même, y a des gens qu'ont besoin de moi, et ça fait du bien.

Parce que des fois, j'aimerais trop être quelqu'un d'autre, ailleurs et peut-être même à une autre époque. Souvent, je m'imagine que je fais partie de la famille Ingalls dans *La Petite Maison dans la prairie*.

J'explique le plan :

Le papa, la maman, les enfants, le chien qui mord pas, la grange et les rubans dans les cheveux pour aller à l'église le dimanche matin. Le bonheur quoi... L'histoire, elle se passe dans des ambiances, genre avant 1900, avec la lampe à pétrole, l'arrivée du chemin de fer, des vêtements préhistoriques et d'autres trucs vieux comme ça... Ce que j'aime bien chez eux, c'est que dès qu'il arrive un drame, ils font le signe de croix, pleurent un bon petit coup, et à l'épisode d'après on a tout oublié... C'est du pur cinéma.

C'est la honte parce que je trouve que dans cette série, ils sont mieux habillés que moi. Alors qu'ils habitent un microvillage tout pourri et que leur père c'est un gros fermier. Rien que le sweat que je porte en ce moment, même l'abbé Pierre il en voudrait pas. Une fois, j'ai mis un pull mauve avec des étoiles et un truc en anglais écrit dessus. Ma mère, elle l'avait acheté dans une friperie qui pue le vieux. Elle avait réussi à l'avoir pour un euro. Elle en était toute fière. Comme je voulais pas la vexer, je l'ai porté au lycée mais, je sais pas, j'avais un mauvais pressentiment, je le trouvais suspect ce pull. Il l'était. Les poufiasses du lycée, la bande de décolorées, surmaquillées avec leurs soutiens-gorge rembourrés et leurs chaussures compensées, elles se sont bien foutues de ma gueule. Le truc écrit en anglais sur le pull, c'était « *sweet dreams* ». Ça veut dire « fais de beaux rêves ». Cette saloperie de pull mauve, c'était un haut de pyjama. Je savais que j'aurais dû être plus attentive pendant les cours de miss Baker en sixième.

En sortant du lycée, j'ai croisé Hamoudi. Il m'a proposé de m'embarquer pour me déposer au quartier. J'étais fière alors j'en ai profité pour flamber un peu, pour que toutes ces tronches de cake au bahut me voient partir avec la doublure d'Antonio Banderas dans *Zorro*, mais en un peu plus balafré. En fait, personne n'a vu. C'est pas grave.

Ça lui va bien finalement de sentir l'eau de toilette et d'être toujours bien rasé. Comme ça, on voit mieux sa cicatrice au menton. Ça lui donne un petit côté écorché vif, rebelle au cœur tendre, tout ça... Comme dans les films de héros. Le jour où je lui ai demandé comment il s'était fait ça, il m'a répondu qu'il se le rappelait pas. Il voulait pas me le dire en fait. Qu'est-ce qu'il peut être agaçant parfois Hamoudi quand il joue le mec mystérieux !

J'ai remarqué que c'était pas la même voiture que la semaine d'avant. Il change souvent de voiture Hamoudi. Soit il a un pote concessionnaire qui est amoureux de lui, soit il trafique des trucs suspects et dans ce cas, je dois pas lui poser de questions. Entre Hamoudi et moi, c'est comme ça. Il veut me protéger, ne pas me mêler à ses histoires, alors en échange je dois mettre ma curiosité de côté.

Quand je suis montée dans la voiture, je lui ai juste dit bonjour sans le regarder, alors que je voyais bien qu'il me fixait. Il démarrait pas et je sentais qu'il me regardait encore. Ça me stressait.

Alors au bout d'un moment il a tourné mon visage vers lui, m'a souri et a dit :

– T'inquiète pas ! Tu resteras toujours ma préférée !

Et puis, il s'est mis à rigoler. Même si j'avais un petit peu envie de rester encore fâchée, j'ai quand même rigolé avec lui, parce que ce qu'il m'a dit, ça m'a soulagée. Hamoudi faisait allusion à cette Karine que j'ai vue avec lui à la kermesse, avec sa tête en forme de Frisbee et ses talons hauts. Il a peut-être cru que j'étais jalouse... N'importe quoi. De toute façon, elle rime à rien, elle est blonde et elle porte du mauve. Vous voyez pas bien le rapport ? Moi non plus.

Enfin, c'est bien pour lui qu'il ait rencontré cette fille. Au moins, il se passe des choses dans sa vie. Alors que pour moi c'est kif-kif demain.

Quand Hamoudi m'a déposée en bas de l'immeuble, Aziz, l'épicier du quartier, m'a fait des grands signes de la main. En voyant ça, je me suis dit qu'il nous fallait peut-être quelqu'un d'autre à la maison. Un homme qui s'enfuirait pas de l'autre côté de la Méditerranée ou avec une blondasse décolorée sur des talons hauts. À part Aziz qui doit être un petit peu amoureux de Maman, je vois pas très bien qui ça pourrait être...

Aziz, il doit avoir aux alentours de cinquante ans. Il est petit, pratiquement chauve, a tout le temps les ongles sales et passe son temps à essayer de se décoincer des trucs entre les dents avec le bout de sa langue. Au Sidi Mohamed Market, y a plein de trucs périmés et il te fait payer plus cher si t'as pris une bouteille de soda dans le petit frigo du fond au lieu de celles du présentoir devant. Avant, il vendait même du pain jusqu'au jour où une cliente a trouvé un cafard dans une baguette et a appelé les services d'hygiène. Le jour de l'aïd, Aziz donne un sac rempli de courses à Maman et quand on a besoin, il nous fait des crédits qu'on peut pas toujours rembourser. Parfois, il râle avec son accent de blédard : « Oh là là ! Si vous prounez cridit sur cridit, on est toujours pas sourtis de la berge !! » Il est marrant Aziz. Au moment de payer il a toujours une blague à raconter.

– L'institoutrice elle doumande à Toto : « Combien ça fait douze bouteilles de vin, à dou euros la pièce ? » Et il répond quoi le p'tit ? Il répond : « Trois jours Madame »...

Et là il pisse de rire. Aziz, même si c'est un arnaqueur de premier choix, il est gentil. Je crois que beaucoup de gens l'aiment bien ici. Au moins, si Maman l'épousait, on ne serait jamais dans le besoin. Bon, OK, c'est pas le patron d'une super industrie genre Tati mais on sait jamais, dans quelques années on trouvera peut-être des Sidi Mohamed Market à New York ou Moscou...

Maman s'est enfin cassée de ce putain d'hôtel pourri où elle tirait la chasse d'eau derrière les riches, tout ça pour être payée trois fois rien. M. Schihont, il lui a même pas donné de prime de départ, soi-disant à cause de la grève, tout ça... C'est illégal, je le sais. Et puis, sans Maman, l'hôtel de M. Schihont, il va tout droit à la faillite. Elle a vraiment une façon bien à elle de faire les lits, avec douceur et force à la fois, histoire qu'il y ait pas un pli sur le drap, mieux qu'à l'armée. Moi en tout cas, je suis bien contente qu'elle travaille plus au Formule 1 de Bagnolet. On regrettera rien. Ni les horaires, ni le salaire et ni cette tête de rat de M. Schihont qui lui servait de patron.

C'est quand même grâce à la mairie. Je dis « quand même » parce que c'est pas facile d'admettre que c'est Mme Dubidule, la Barbie qui nous sert d'assistante sociale, qui a aidé Maman à trouver sa formation alternée. Alternée, ça veut dire que tu jongles avec deux trucs différents. Comme quand tu mélanges sucré et salé ou mari et amant. Maman, elle va suivre une formation d'alphabétisation. On va lui apprendre à lire et à écrire la langue de mon pays. Avec une maîtresse, un tableau noir, des cahiers à gros carreaux et même des devoirs. Je l'aiderai à les faire si elle veut.

Moi, je me dis que Nabil le nul, il m'est bien utile quand je comprends rien en chimie et qu'il m'explique les pages d'exercices que Mme Benbarchiche nous donne à faire. C'est des devoirs sur les isotopes. Avec son accent tunisien, ça donnait les « zizitopes », comme le groupe de rock de vieux barbus avec leurs lunettes de soleil.

C'est marrant parce que Maman appréhende beaucoup cette formation. Elle est jamais allée à l'école, alors elle flippe. Se lever à cinq heures du matin pour aller travailler et se ruiner la santé dans un hôtel à quatre sous, elle s'en foutait un peu. Mais là pour elle, c'est pas de la blague. Dans cette formation, y a aussi la technique de recherche d'emploi. Avec ça, j'espère qu'elle trouvera un super truc. Elle sera payée pendant la formation et ne finira pas tard le soir, pratiquement en même temps que moi. Comme ça, je la verrai beaucoup plus et ça me permettra d'oublier moins souvent que j'ai une mère.

Elle commence que dans deux semaines et c'est vachement bien parce qu'en attendant, à midi, quand je rentre du lycée, je mange autre chose que des boîtes de thon à la catalane.

Le truc que Maman préfère regarder le soir à la télé, c'est la météo. Surtout quand c'est le présentateur brun, celui qui a fait le casting pour *La Cage aux folles* mais qui a pas été pris parce qu'il en faisait trop... Là, il annonçait un gros cyclone dans les Caraïbes, un truc de ouf qui se préparait à faire pas mal de dégâts. L'ouragan, il s'appelait Franky. Maman m'a dit qu'elle trouvait ça vraiment bête cette manie occidentale de donner des noms à des catastrophes naturelles. J'aime bien les moments où Maman et moi on a des discussions intéressantes et profondes.

Aziz, il est sympa mais dans son épicerie, t'as une chance sur trois de tomber sur des produits périmés donc parfois je vais à Malistar, une toute petite supérette qui existe depuis des années même si elle a changé de nom plein de fois. Au moins dix baptêmes différents depuis que j'habite ici : World Provisions, Better Price, Toutipri... Le problème, c'est que tout le monde l'appelle différemment ce magasin, en fonction du nom qui l'a marqué.

Donc je suis allée à Malistar pour acheter des serviettes hygiéniques, celles sans marque, avec le paquet orange fluo comme les combinaisons des dames qui font traverser les enfants devant l'école tôt le matin. Déjà, vu l'aspect du paquet, c'est trop l'affiche. T'es vraiment pas en planque, après dans la cité, tout le monde sait que t'as tes règles. Au moment où j'arrive à la caisse, comme par hasard, la queue fait la distance du Paris-Dakar. Et en vélo parce que ça allait vraiment pas vite... Quand arrive enfin mon tour, encore un autre hasard de la vie : le paquet ne passe pas à la caisse. Ça faisait un bruit de 45 tours rayé à chaque fois que la caissière essayait. La caissière, c'est Monique, et on peut vraiment dire qu'elle a la gueule de l'emploi. Elle est si plate qu'on pourrait la faxer et à sa place, j'aurais porté plainte contre le coiffeur qui a osé faire cette coupe. Monique a beaucoup d'humour et elle doit ça aux cassettes vidéo de Pierre Palmade qu'elle visionne tous les dimanches après-midi. Bref, ce foutu paquet de serviettes, comme Monique n'arrivait toujours pas à le passer et qu'elle en avait marre, au lieu de taper le code-barres comme ils font à Atac, elle a pris le micro pour faire une annonce. Là, mes jambes ont commencé à trembler et des perles de sueur me coulaient sur le front comme les démineurs de bombes avant de couper le fil rouge. Elle crie alors de sa voix grave – elle avait pas compris que ça servait à rien de crier puisque c'est fait pour ça un micro à la base :

– RAYMOND !!! C'est combien le paquet de serviettes hygiéniques de 24 + 2 gratuites, modèle normal avec coussinets absorbants et ailettes latérales protectrices ?!

Elle hésite un peu et reprend :

– Ho ! Raymond !! Tu dors ou quoi ?

Là, on a entendu une voix diabolique s'exclamer que ce putain de paquet valait deux euros trente-huit. Le pire, c'est que j'avais même pas assez pour le payer et qu'elle m'a fait crédit. Si j'aurais su, j'aurais même pas eu mes règles...

Quand je suis rentrée à la maison, Maman était encore au téléphone avec Tante Zohra. Youssef va bientôt passer en jugement, c'est pour ça qu'elle est aussi inquiète. Alors Tante Zohra appelle souvent Maman, même tard le soir, parce qu'elle a du mal à s'endormir. Toutes les deux, elles ont de longues conversations pleines de silences. Je le sais parce que Maman met la fonction haut-parleur.

– Je te jure, Yasmina ma sœur, tu as de la chance de ne pas avoir eu de fils, Dieu est avec toi, tu ne te rends pas compte...

– ...

– Enfin, je veux dire qu'avec une fille, c'est plus facile ! Tu sais, j'avais jamais vu mon fils pleurer... Hier à la visite, il a pleuré dans mes bras, comme une femme, j'ai mal au cœur tu sais...

– Que Dieu te vienne en aide !

– Qu'il t'entende, ma sœur... Qu'est-ce que je vais dire au vieux quand il va revenir du bled, moi ? Il rentre dans deux mois...

– Prie Dieu que ton fils te revienne vite...

On dirait que toutes les deux comptent beaucoup sur Dieu. J'espère que Youssef sera libre très vite. Il mérite pas toutes ces conneries qui lui arrivent. Moi, j'y connais pas grand-chose à la justice, les seules références que j'ai dans ce domaine, c'est les épisodes de *Perry Mason*, le grand avocat. Je me rappelle même qu'il y avait un juge qui s'endormait pendant les procès et les gens l'appelaient quand même « Votre Honneur ».

J'y comprends plus rien à cette justice pas juste si Youssef va en prison.

Il est tombé. Il en a pris pour un an. Tante Zohra est dégoûtée de la vie. Elle a surtout très peur de son mari le vieux fou quand il va rentrer du pays le mois prochain. Réda et Hamza, ses deux autres fils, ils sont en chute libre à l'école et ils se battent avec les mecs de leur âge au quartier parce qu'ils se font souvent traiter de bâtards vu que leur père n'est pratiquement jamais là. Pour Youssef, c'est la case prison et même s'il s'est souvent moqué de moi, il méritait vraiment pas de perdre un an de sa vie aussi bêtement.

C'est comme Hamoudi. Après la prison, il a fait de l'intérim et plein de petits boulots de merde, aussi galères les uns que les autres. Il a jamais vraiment réussi à se rattraper depuis. Maintenant, il vit du deal et peut pas mener une vie normale. La retraite et la Sécu spécial dealer, ça existe pas encore. En tout cas, j'aurais jamais imaginé que ça puisse arriver à Youssef. Une voyante me l'aurait dit il y a quelques mois, je l'aurais pas crue.

Ma mère m'a raconté qu'au pays, quand elle était encore chez ses parents, sa tante et une voisine l'ont emmenée chez une voyante. Tout le monde s'inquiétait parce que Maman refusait de se marier. La voyante lui avait dit que l'homme qui lui était destiné allait venir la chercher de l'autre côté de la mer et que c'était un homme qui travaillait la terre et la pierre. En fait, c'était juste mon père. C'est vrai : il est venu la chercher de l'autre côté de la mer, de France ; et en bateau parce que ça coûtait moins cher que l'avion. C'est vrai aussi qu'il travaillait avec la terre et la pierre puisque, à l'époque, il était dans le BTP, bâtiment travaux publics. Sauf que la voyante, elle a un peu oublié de lui raconter comment ça allait se finir. Ces gens-là te disent que ce que tu veux entendre.

Comme pour Shérif. Shérif, c'est un mec de la cité, il est arrivé de Tunisie il y a environ six ans. Tout le monde le surnomme Shérif parce qu'il a une vraie dégaine de cow-boy. En plus, il porte tout le temps une casquette rouge frappée d'une étoile. Avec ses cheveux noirs et sa moustache, on le croirait tout droit sorti d'un western. Ce type-là est allé voir une voyante qui lui a dit qu'il deviendrait bientôt très riche. Ça fait des années qu'elle lui a dit ça. Elle aurait peut-être dû lui préciser ce qu'elle entendait par « bientôt ». Bref, depuis ce jour, Shérif, il joue tous les jours au tiercé, et il y croit à mort. Pour attendre les résultats il va au bar-tabac de la petite place. Et comme il perd à chaque fois, il devient nerveux. Shérif, c'est un Méditerranéen quoi... Quand il gagne pas, c'est-à-dire à tous les coups, il chiffonne sa casquette, gueule des insultes en arabe et s'en va. C'est comme ça depuis très longtemps.

Dès fois, je me dis que la vie c'est vraiment un coup de chance quand même. On trouve qu'on a pas de bol, mais on pense pas aux gens qui en ont encore moins que nous... Si, si, ça existe. Par exemple ce môme qu'était avec moi à l'école primaire et qui se faisait tout le temps taper dessus. Un petit blond à lunettes, abonné au premier rang et qui avait tout le temps des bonnes notes en classe, apportait des crêpes à la maîtresse pour mardi gras et mangeait du porc à la cantine. La victime idéale.

Maman a commencé sa nouvelle formation. Ça lui plaît bien à ce qu'elle me raconte. Elle a même déjà sympathisé avec deux autres femmes : une Marocaine de Tanger et une grand-mère normande qui s'appelle « Jéquiline ». J'ai supposé que c'était Jacqueline, la formatrice. Je me rends compte que ma mère est quelqu'un de sociable, contrairement à moi. Quand j'étais petite et que Maman m'emmenait au bac à sable, aucun enfant ne voulait jouer avec moi. J'appelais ça « le bac à sable des Français », parce qu'il se trouvait au cœur de la zone pavillonnaire et qu'il y avait surtout des familles d'origine française qui y habitaient. Une fois, ils faisaient tous une ronde et ils ont refusé de me donner la main parce que c'était le lendemain de l'aïd, la fête du Mouton, et que Maman m'avait mis du henné sur la paume de la main droite. Ces petites têtes à claques croyaient que j'étais sale.

Ils n'avaient rien compris à la mixité sociale et au mélange des cultures. En même temps, c'est pas vraiment de leur faute. Il y a quand même une séparation bien marquée entre la cité du Paradis où j'habite et la zone pavillonnaire Rousseau. Des grillages immenses qui sentent la rouille tellement ils sont vieux et un mur de pierre tout le long. Pire que la ligne Maginot ou le mur de Berlin. Sur la façade du côté de la cité, y a plein de tags, des dessins et des affiches de concerts et soirées orientales diverses, des graffitis à la gloire de Saddam Hussein ou de Che Guevara, des marques de patriotisme, « Viva Tunisia », « Sénégal représente », et même des phrases extraites de chansons de rap à coloration philosophique. Mais moi, ce que je préfère sur le mur, c'est un vieux dessin qui est là depuis longtemps, bien avant l'ascension du rap ou le début de la guerre en Irak. Il représente un ange menotté avec une croix rouge sur la bouche.

Dans mon immeuble, il y a une fille qui est détenue au onzième étage. Elle s'appelle Samra et elle a dix-neuf ans. Son frère la suit partout. Il l'empêche de sortir et quand elle rentre un petit peu plus tard que d'habitude des cours, il la ramène par les cheveux, et le père finit le travail. Une fois, j'ai même entendu Samra crier parce qu'ils l'avaient enfermée dans l'appartement. Dans leur famille, les hommes, c'est les rois. Ils font de la haute surveillance avec Samra et la mère ne peut rien dire, rien faire. À croire que c'est vraiment la poisse d'être une fille.

Sauf qu'il y a quelques jours, des voisines ont dit à Maman que Samra s'était sauvée. Depuis trois semaines, tout le monde la cherche. Son père a même déposé une main courante pour la retrouver. Ils ont collé des affiches dans les environs, les magasins, la poste, les halls des tours, les écoles... La photo date de quand Samra était en sixième. L'appareil dentaire, ça rend pas très bien à la photocopieuse.

Ça me fait penser à cette émission avec Jacques Pradel où ils retrouvaient des gens : « Perdu de vue ». Y avait même des mecs qu'avaient pas revu des membres de leur famille depuis plus de vingt ans. Cette émission, c'était trop fort, ils réussissaient à les retrouver même s'ils avaient changé de gueule, de nom et tout. À part quand ils étaient morts, ça marchait carrément à tous les coups. Après, quand ils faisaient les retrouvailles, les gens chialaient, s'évanouissaient. Ça donnait un côté spectaculaire à l'émission. Une fois, ils ont retrouvé un cousin à Sydney, en Australie. Ils ont filmé sa baraque, sa nouvelle famille, son nouveau boulot et tout ça. J'ai trouvé que c'était pas cool pour le mec qui souffre de la disparition depuis des années, qui s'est cassé la tête pour le retrouver et qui se rend compte qu'en fait l'autre cousin, il en avait rien à foutre et qu'il a une nouvelle vie géniale.

Bref, en tout cas, en ce moment dans le quartier, tout le monde ne parle que de la disparition de Samra. On dit même que des gens l'ont vue à Paris avec du ventre. Genre elle est déjà enceinte... La rumeur circule de l'épicerie à la sortie des écoles en passant par le pressing. Quand Samra était enfermée chez elle, dans sa cage en béton, personne n'en parlait, comme si les gens trouvaient ça normal. Et maintenant qu'elle a réussi à se libérer de son dictateur de frère et de son tortionnaire de père, les gens l'accusent. J'y comprends rien.

Youssef, lui, il peut pas s'échapper. Tante Zohra nous a encore téléphoné pour raconter la dernière visite. Elle arrête pas de nous dire qu'il maigrit et que ses yeux sont vides. Elle ne reconnaît plus son fils et je crois bien que ça lui fait peur. Mais quand même, je trouve qu'elle devient plus courageuse. Elle affronte mieux cette épreuve qu'au début. Il lui fallait un peu de temps pour s'y faire, c'est tout. C'est horrible de se dire qu'à force de subir on peut s'habituer à tout, et particulièrement au pire.

Dans deux semaines le père de Youssef revient du bled et je me demande vraiment comment ça va se passer. Maman aide Tante Zohra à préparer une tactique. Elle dit que tout est dans la manière d'annoncer la chose. Pour les mauvaises nouvelles, il faut s'inspirer de la télé. Du courage et du tact de Gaby dans *Sunset Beach* quand elle annonce à son con de mari qu'elle l'a trompé avec son propre frère. En plus, il était prêtre le frère. Encore pire. Alors à côté de ça, annoncer au père de Youssef que son gosse est en prison jusqu'au printemps prochain, c'est du gâteau. Comme lorsque je vais annoncer à Maman que je redouble ma classe cette année. Faudrait d'abord que je lui explique ce que ça veut dire redoubler, parce que le système scolaire, elle y comprend vraiment rien. Et que je lui dise ensuite que c'est pour mieux réussir. Pour elle, réussir, c'est travailler dans un bureau où il y a une chaise qui tourne et qui roule, avec un téléphone et un chauffage pas loin du fauteuil qui tourne et qui roule.

L'autre soir, je suis restée un peu sur le palier à discuter avec Hamoudi. On parlait des parents et de la crise d'adolescence parce que Mme Burlaud m'a expliqué ce que ça voulait dire.

Hamoudi, il pense que c'est rien qu'un prétexte, un truc de parents occidentaux qui ont raté l'éducation de leurs enfants. Je ne suis pas d'accord avec lui. Parfois Hamoudi, il va vraiment à l'extrême. Il m'a dit que lui, il n'avait pas intérêt à faire ne serait-ce qu'un dixième de crise d'adolescence parce que son père aurait tout de suite su comment la calmer. Il m'a aussi dit qu'avec Karine, l'autre blondasse que j'avais vue à la kermesse, c'était terminé. Quand il a dit ça, il avait un peu de tristesse dans la voix. Je sais que c'est pas bien, mais au fond, ça m'a fait un peu plaisir. Je me disais qu'avec Hamoudi, ça allait redevenir comme avant. Pour le consoler, je lui ai dit que, de toute façon, elle avait une tête en forme de Frisbee. Ça l'a fait bien marrer. Par contre, il ne m'a pas dit pourquoi ils se sont séparés. Je crois pas qu'elle l'ait trompé avec le frère d'Hamoudi qui n'est pas prêtre.

Il me l'a pas dit parce qu'il pense que ce sont des histoires d'adultes et que ça me regarde pas. C'est pas tout à fait faux.

L'autre soir, ce gros nul de Nabil est venu m'aider à faire mon devoir d'éducation civique. Le sujet ressemblait à un titre de reportage d'« Envoyé spécial » : « L'abstention, pourquoi ? »

Avec Nabil le nul on en a discuté. Il pense par exemple qu'un mec de la cité du Paradis qui ne va plus à l'école depuis longtemps, qui n'arrive pas à trouver du boulot, dont les parents ne travaillent pas et qui partage sa chambre avec ses quatre petits frères, « qu'est-ce qu'il en a à foutre de voter ? ». Il a raison Nabil. Le type doit déjà se battre pour survivre au quotidien, alors son devoir de citoyen... Si la situation s'améliorait pour lui, il pourrait avoir envie de se bouger et de voter. En plus, je vois pas très bien par qui il pourrait se sentir représenté. Eh ben voilà, c'est à ce type-là qu'il faut demander : « L'abstention, pourquoi ? » Pas à une classe de boutonneux de quinze ans.

Je me dis que c'est peut-être pour ça que les cités sont laissées à l'abandon, parce que ici peu de gens votent. On est d'aucune utilité politique si on vote pas. Moi, à dix-huit ans, j'irai voter. Ici, on n'a jamais la parole. Alors quand on nous la donne, il faut la prendre.

Bref, ce soir-là, Nabil, au lieu de partir dès qu'on a eu fini et de rentrer chez sa mère, il restait là, il parlait, tout en finissant le paquet de crackers qui était sur la table. Je croyais qu'ils allaient faire la semaine mes crackers, mais bon, tant pis... Quand enfin ce nullard s'est décidé à dégager, je l'ai raccompagné, et à la porte d'entrée, il a soudainement changé d'expression. Il a pris sa tête sérieuse, s'est avancé vers moi et m'a fait une bise sur la bouche. En vrai.

Non seulement il bouffe tous mes crackers mais en plus, il ose m'embrasser sans me demander mon avis ! Le pire, c'est que, comme une mule, j'ai rien trouvé à dire. Je suis juste devenue toute rouge comme les poivrons que ma mère prépare en sauce et j'ai bafouillé un « salut ! » à peine audible en refermant la porte. Après ça, j'ai couru boire un grand verre de sirop de menthe et je me suis brossé les dents deux fois pour faire partir le goût de Nabil.

Qu'est-ce que je vais faire maintenant ? Je pourrais peut-être essayer de faire croire à tout le monde qu'après une chute de vélo, j'ai perdu connaissance et me suis réveillée amnésique, que je ne me souviens plus de rien, mais alors de rien du tout... Le problème c'est que ça va pas être très crédible. Tout le monde sait que j'ai pas de vélo et pas les moyens de m'en acheter un. Ou alors je pourrais faire de la chirurgie esthétique et devenir quelqu'un d'autre pour qu'il ne me reconnaisse pas et qu'il ne recommence jamais à coller ses grosses lèvres gercées sur les miennes. Beurk.

Ça ressemble vraiment pas à ce que j'avais imaginé pour mon premier baiser. Non, moi, je voyais plutôt ça dans un décor de rêve, au bord d'un lac, en forêt, au soleil couchant avec un super type qui ressemblerait un peu au mec qui joue dans la pub pour les vitamines, celui qui fait un demi-tour sur sa chaise, se met bien face à la caméra avec son sourire dentifrice et fait : « Si juvabien, c'est Juvamine ! » Le mec, il serait en train de m'expliquer comment on fait du feu avec une lime à ongles et un caillou quand, au milieu de notre entretien philosophique, on irait l'un vers l'autre, tout doucement, et on s'embrasserait, naturellement, comme si on le faisait depuis toujours. Bien sûr, quand j'imagine cette scène, moi, je suis bien coiffée, bien habillée et j'ai un peu plus de poitrine.

L'histoire de la bouche de Nabil, personne n'est au courant. Trop l'affiche. Même pas Mme Burlaud et surtout pas Maman. Si elle apprend ça, elle me tue. Je lui en veux à Nabil de m'avoir volé mon premier baiser et d'avoir descendu mon paquet de biscuits salés, mais pas autant que je croyais que je lui en voudrais. Enfin, je me comprends.

Lundi, chez Mme Burlaud, on a fait un nouveau truc, comme un jeu. Elle me montrait des photos en grand format, elle les faisait défiler assez rapidement et moi je devais dire « j'aime » ou « j'aime pas ».

La plupart du temps, comme ça allait vite, je répondais mécaniquement sans avoir eu le temps de réfléchir. Alors par exemple, je me suis retrouvée à dire « j'aime pas » pour la photo d'un petit bébé. Mme Burlaud, comme par hasard, elle s'est arrêtée sur cette photo-là. Comme si je l'avais pas vue venir, elle a commencé à me parler de mon supposé demi-petit frère. Inconsciemment, ce serait pour ça que j'ai dit : « J'aime pas. » Maintenant, avec Maman, on sait que c'est un garçon. Une voisine du Maroc nous a envoyé une lettre à la maison. Comme pour l'humilier encore plus, la lettre était en français. J'ai dû la lui lire.

Mais sérieux, pourquoi chercher midi à quatorze heures ? J'ai dit à Mme Burlaud que ça n'avait rien à voir, c'était juste que ça allait trop vite et que j'avais pas bien regardé l'image. Je me suis trompée c'est tout... Et puis merde ! On est pas obligé d'aimer les bébés ! Un bébé, ça pleure sans arrêt, ça pue, ça bave, ça fait caca... Surtout que le bébé de la photo, il était trop vilain, il était en forme de croissant au beurre.

Et puis, l'autre mouflet, c'est pas mon frère. C'est juste le fils de mon barbu de père. C'est pas pareil. Franchement, Mme Burlaud elle est relou quand elle fait celle qui a réponse à tout et qu'elle affiche son sourire satisfait comme Harrison Ford à la fin de tous les épisodes d'*Indiana Jones*. En ce moment, elle me dit sans arrêt que je grandis et que c'est normal que je me pose des questions. Je grandis... Putain, faut qu'elle change ses lunettes ! Ça fait un moment que je suis à un mètre soixante et que je bouge pas. Ou alors peut-être qu'elle voulait dire grandir dans ma tête. Ça devait être ça...

Lila, pour mesurer Sarah, elle fait des marques au crayon noir sur la porte de sa chambre et inscrit les dates à côté. C'est marrant, ça fait plein de petits traits les uns au-dessus des autres. Quand elle sera plus grande, ça lui fera sûrement plaisir de revoir ça. En plus, chez Sarah, y a plein de photos d'elle depuis qu'elle est toute petite jusqu'à maintenant.

Elle en a de la chance. J'ai aucune photo de moi jusqu'à l'âge de trois ans. Après, ce sont les photos d'école... Ça me rend triste de repenser à ça, j'ai l'impression de pas exister complètement. Je suis sûre que si j'avais eu un zizi, j'aurais une grosse pile d'albums photo.

Un jour en revenant du centre de loisirs avec Sarah, on est passées dire bonjour à Hamoudi.

– Alors, princesse, c'est toi Sarah ?

– Oui.

– T'es vraiment mignonne avec ta petite robe rose, on dirait une fée...

– Eh ben toi, t'as des pas belles dents, faut demander à la petite souris reine des dents qu'elle s'occupe de toi...

J'ai un peu grondé Sarah. Je lui ai dit que c'était pas gentil de parler comme ça. Mais Hamoudi s'en foutait. Au contraire, ça l'a fait mourir de rire. Bon, c'est pas faux qu'Hamoudi a les dents un petit peu abîmées. Mais c'est vraiment pas catastrophique. Et puis c'est normal avec tout ce qu'il fume depuis des années...

N'empêche que depuis, il adore la petite Sarah. Il me dit qu'il y a rien de plus frais qu'un enfant, parce que c'est sincère, spontané, vrai quoi... « C'est ce qui reste de plus honnête dans cette société hypocrite et corrompue. » Il a peut-être bien raison Hamoudi... Il devient très réfléchi en ce moment. D'ailleurs, il cherche sérieusement du boulot. Enfin à ce qu'il m'a dit. Il a besoin de se ranger un peu parce que le deal, ça devient dangereux. Et puis comme il dit : « J'ai plus dix-sept ans... » Quand il dit ça, il a du regret dans les yeux... « J'suis pratiquement au tiers de ma vie et j'ai rien fait. Que dalle... » Je lui ai répondu que c'était pas trop tard et que s'il parlait comme ça, c'est peut-être parce qu'il avait peur de changer les choses. Je sais pas d'où j'ai sorti ça. Ça doit être à force de regarder les débats télévisés genre « Je suis cocu et ça me regarde ». Cela dit, c'est bizarre qu'Hamoudi en soit arrivé là parce que dans sa famille, il a toujours eu pas mal de liberté, il pouvait faire tout ce qu'il voulait. Y a un seul truc qu'il pouvait pas faire : pleurer. Parce que c'était un homme et que le père d'Hamoudi dit que les hommes ne pleurent pas. C'est peut-être ça qui a joué. On se rend pas compte à quel point c'est important de pleurer.

C'est déjà les grandes vacances. Cet après-midi, j'ai vu la famille Ali embarquer pour le Maroc. Ils ont une grande camionnette rouge et tous les ans, ils traversent la France et l'Espagne pour rejoindre le bled et y passer deux mois. Je les regardais depuis ma fenêtre. Ils ont mis au moins une heure à tout préparer. Les enfants étaient bien habillés. On lisait sur leur gueule la joie et l'excitation de partir. Je les enviais. En tout cas, ils ont emmené une tonne de bagages. Les trois quarts des sacs devaient être remplis de cadeaux pour la famille, les amis et les voisins. C'est toujours comme ça que ça se passe. La mère Ali a même emporté un aspirateur. Un Rowenta dernier modèle. Elle va en jeter avec ça là-bas.

En plus, ils vont voir leur baraque terminée. À mon avis, s'ils se sont fait construire une maison au bled en bouffant du riz et des pâtes à tous les repas pour envoyer des sous aux maçons, et si la mère embarque un aspirateur avec elle, c'est qu'ils ont l'intention de s'y installer. Les enfants, ça a pas dû leur effleurer l'esprit. Mais les parents, eux, ils doivent y penser depuis le premier jour où ils sont arrivés en France. Depuis le jour où ils ont fait l'erreur de foutre les pieds dans ce putain de pays qu'ils croyaient devenir le leur.

Certains espèrent toute leur vie retourner au pays. Mais beaucoup n'y reviennent qu'une fois dans le cercueil, expédiés par avion comme de la marchandise exportée. Évidemment, ils retrouvent leur terre, mais c'est sûrement pas au sens propre qu'ils voyaient la chose...

Enfin, y en a quand même qui réussissent à retourner là-bas. Comme celui qui me servait de père avant. Sauf que lui il est parti sans les bagages.

Parfois, j'essaie de m'imaginer ce que je serais si j'étais d'origine polonaise ou russe au lieu de marocaine... Je ferais peut-être du patinage artistique mais pas dans des concours locaux à deux sous où on gagne des médailles en chocolat et des tee-shirts. Non, du vrai patinage, celui des Jeux olympiques, avec les plus belles musiques classiques, des mecs venus du monde entier qui notent tes performances comme à l'école, et des stades entiers qui t'applaudissent même quand tu te vautres comme un steak. De toute façon, le plus important c'est de garder la classe. C'est vrai que le patinage, c'est vraiment trop fort, les robes avec plein de paillettes, de voiles et de couleurs... Le problème, c'est que les filles, à cause des tenues, on voit toujours leur culotte. Alors ma mère, ça lui plairait pas trop que je fasse du patinage artistique à la télé. Et puis, si j'étais russe, j'aurais un prénom super compliqué à prononcer et je serais sûrement blonde. Je sais, c'est des préjugés de merde. Ça doit exister des Russes brunes avec des prénoms hyper simples à prononcer, tellement simples qu'on les appellerait rien que pour le plaisir de dire un prénom aussi facile. Et puis y a peut-être même carrément certaines Russes qui ont jamais enfilé de patins de leur vie.

Bref, en attendant, tout le monde se casse et moi je vais rester au quartier pour surveiller la cité comme un chien de garde en attendant que les autres reviennent de vacances tout bronzés. Même Nabil a disparu. Peut-être que lui aussi est parti avec ses parents en Tunisie.

En tout cas, comme l'école est terminée, il reviendra plus m'aider à faire mes devoirs ou rédiger mes dissertations. De toute façon, des dissertations, j'en ferais plus jamais de ma vie, à part s'il y a des sujets sur les brushings et les bigoudis. Ah oui, je vous avais pas dit : au lycée, ils ne peuvent pas me faire redoubler parce qu'il n'y a pas assez de places pour tout le monde. Et dans ce « tout le monde », il y a moi. Alors ils m'ont trouvé une place à la dernière minute dans un lycée professionnel pas trop loin de la maison, en CAP coiffure. Hamoudi était très en colère quand je lui ai raconté. Il m'a dit qu'il allait les voir et se plaindre, contacter l'académie, gueuler après les administrations et d'autres trucs comme ça... Il a dit qu'ils ont pas le droit de décider à ma place. Je lui ai dit que de toute façon, je savais pas quoi faire et qu'on m'a jamais expliqué dans quoi il fallait que je m'oriente. Et puis, si ça se trouve, la coiffure, je vais adorer... C'est vrai ça, faire des permanentes à des très vieilles dames qui ont trois poils sur le caillou et qui paient une fortune pour l'entretien de leurs cheveux, ça va me plaire, je le sens...

Y a une fille dans le quartier qui a fait un CAP coiffure. Comme elle a pas assez d'argent pour ouvrir son propre salon mais qu'elle veut quand même travailler à son compte, elle fait de la coiffure à domicile. Ça marche bien. Quand il y a des mariages dans le quartier, tout le monde l'appelle. Les filles se font faire des brushings, se font architirer les cheveux pour qu'on croie qu'elles les ont raides naturellement. Mais à la fête, au bout de deux ou trois danses, elles transpirent et quelques petites frisures les trahissent déjà...

En parlant de mariage, il y en a un qui va bientôt y passer, c'est Aziz, notre fameux commerçant de Sidi Mohamed Market, l'épicier le plus radin de la Terre. Je suis un peu dégoûtée qu'il se marie, parce que ça veut dire qu'avec Maman, c'est cuit...

Rachida, notre voisine qui est aussi la plus grosse commère que je connaisse, nous a dit qu'Aziz allait épouser une fille du Maroc. Je comprends pourquoi il y a autant de filles célibataires ici. Si maintenant les hommes commencent à se lancer dans l'import-export... C'est dommage que chez nous les mariages ne se passent pas comme aux États-Unis avec le prêtre qui dit la fameuse phrase : « Si quelqu'un s'oppose à cette union, qu'il parle maintenant ou qu'il se taise à jamais. » Là, il y a toujours un mec hyper courageux qui ose interrompre la cérémonie parce que ça fait huit ans qu'il est secrètement amoureux de la mariée. Alors, il lui annonce, et elle, la larme à l'œil, lui dit que c'est réciproque. Le marié qui est bon perdant – même s'il a un peu les boules – serre la main du mec hyper courageux et fait : « Sans rancune, vieux ! » Puis il lui prête le smoking qu'il a loué très cher pour l'occasion et le type courageux épouse la fille à la place du marié bon perdant.

Pour le mariage d'Aziz, Maman pourrait faire la même chose. Elle dirait à Aziz que c'est le mec le plus romantique du quartier et qu'elle a des sentiments sincères envers lui depuis des années malgré son crâne chauve et ses ongles un peu crados. Faut que j'arrête de me faire des films. Je sais qu'elle fera jamais ça. En plus, y aura toute la cité au mariage d'Aziz et si Maman fait ça, c'est la honte. La « hchouma ». En plus, c'est même pas sûr qu'il nous invite. Il nous a tellement fait de crédits qu'on n'a jamais remboursés. De toute façon, on nous invite jamais nulle part. Bien longtemps après les fêtes les gens viennent voir Maman pour s'excuser de l'avoir oubliée. C'est pas grave. Maman et moi on s'en fout de pas faire partie de la jet-set.

Dimanche matin, avec Maman, on est allées au vide-grenier. Elle espérait trouver des chaussures pour elle parce que dans sa pompe gauche, y a un petit trou au niveau de l'orteil et quand il pleut ou quand elle marche dans l'herbe le matin, elle a les doigts de pied trempés.

On marchait dans les allées du vide-grenier quand j'ai entendu des filles derrière nous :

– Téma la fille, habillée encore plus mal que sa daronne... Elle aussi on l'a vidée du grenier !

– Ouais, laisse tomber, le vide-grenier pour elles c'est les Galeries Lafayette...

Elles ont commencé à pouffer de rire. Des petits rires mauvais, étouffés. J'ai regardé Maman. Apparemment, elle n'avait rien entendu. Elle était concentrée sur une pochette de 45 tours de Michel Sardou. Sur la photo, il avait une grosse touffe quand même. On dirait que pendant les années quatre-vingt, on a rapatrié tous les coiffeurs, on les a cachés dans une grotte et qu'ils ont commencé à réapparaître seulement au début des années quatre-vingt-dix.

Bref, les deux pétasses qui ont dit ça derrière nous, je me suis même pas retournée pour les avaler toutes crues ou leur déchiqueter les narines. Non, j'ai fait comme si de rien n'était, comme si j'avais pas entendu. J'ai tenu Maman par le bras. Je l'ai serrée parce que j'avais quand même bien la haine et puis j'ai senti les larmes me monter aux yeux et mon nez qui me piquait. J'avais très envie de pleurer, mais j'ai essayé de retrouver mon calme. Je me suis forcée parce que je ne voulais pas raconter ça à Maman. Elle se serait sentie coupable. En plus, elle regardait des lots d'éplucheurs à un euro qui avaient l'air de l'intéresser pas mal, j'ai pas voulu la perturber. Dans ces moments-là, je voudrais être plus forte, avoir comme une carapace qui me défendrait toute ma vie. Que plus rien ne puisse me faire mal.

Toute la cité est venue au mariage d'Aziz. Ils ont organisé ça dans une grande salle des fêtes à Livry-Gargan avec un vrai orchestre de Fès, venu spécialement pour l'occasion. Aziz avait engagé deux « négafas », ce sont des marieuses chargées de toute l'organisation de la fête : décors, vêtements, maquillage, bijoux de la mariée, nourriture, tous ces trucs-là. C'était un super mariage, il a vraiment mis la patate Aziz. Enfin à ce qu'il paraît, parce que, effectivement, on n'a pas été invitées.

Mme Dutruc, l'assistante sociale de la mairie, on ne la voit plus parce qu'elle est partie en congé de maternité. Elle a dit qu'elle reviendrait après la naissance de son bébé. Ça m'a énervée quand elle a dit ça, ça faisait un peu genre « de toute façon dans un an, vous serez encore pauvres, vous aurez toujours besoin de moi ». En plus, en attendant, on se coltine une remplaçante qui est chelou. Elle a tout le temps les yeux mi-clos derrière d'énormes lunettes avec des verres en cul de bouteille et d'épaisses montures roses. En plus, elle parle très lentement avec une voix d'épouvante, le genre de voix que t'imagines en train de dire : « Je suis la mort ! Suis-moi, c'est ton tour ! » Mais bon, tout ça ne m'ennuie pas vraiment. Je m'en fous même carrément à vrai dire. Ce qui me pose problème c'est qu'avec elle, j'ai l'impression que Maman et moi, on est de vulgaires numéros de dossier. Elle fait son boulot comme un automate. On dirait un robot programmé pour ça. Je suis sûre que si on lui gratte la peau du dos, qu'on creuse bien dans l'épiderme, on trouve une couche d'aluminium, des vis et un numéro de série gravé dessus. Moi, je l'appelle l'assistante Cyborg.

Cette semaine, je vais pas garder Sarah parce que sa mère est en vacances et que toutes les deux, elles partent à Toulouse chez la sœur de Lila. C'est dur d'être séparé des gens qui comptent pour nous...

Je pense à Tante Zohra et à Youssef et puis aussi à d'autres gens...

À propos de Tante Zohra, elle a eu le courage de tout raconter au vieux fou, son mari. Il y a eu une violente dispute entre eux quand il a appris ce qui s'était passé et ce vieux maboul a tapé sur Tante Zohra. Il s'est arrêté un moment parce qu'il en pouvait plus, il avait trop mal au bras et des palpitations au cœur. Alors il s'est assis et lui a demandé un verre d'eau pour se désaltérer. Elle est allée lui chercher à boire et ça s'est terminé comme ça...

Elle nous a tout raconté. Chaque jour, elle prie Dieu pour qu'il retourne d'où il vient. Quand je pense qu'il y a encore quelque temps, Maman priait pour que l'autre revienne.

Ces temps-ci, je vois bien qu'elle est moins pensive. Elle a l'air mieux. Elle commence à lire quelques mots et elle est très fière d'écrire son prénom sans se tromper. Au début, elle faisait le S à l'envers, comme les bébés. C'est vrai que de temps en temps, je remarque qu'elle est soucieuse quand même, genre quand elle regarde la télé éteinte. Mais ça arrive moins souvent. Et puis elle est active et libre maintenant alors qu'avant c'était loin d'être le cas. Quand Papa habitait chez nous, il était même pas question qu'elle travaille alors qu'on était grave en galère de thune. Parce qu'une femme pour Papa c'était pas fait pour bosser non plus.

Au fait, Hamoudi m'a annoncé hier qu'il avait trouvé du boulot. Il est tombé par hasard sur une annonce du *Paris Boum Boum*. Une entreprise de location de matériel hi-fi vidéo et informatique qui cherchait quelqu'un pour faire la sécurité. Il a tout de suite répondu, a eu un entretien, et voilà, il a été embauché. Bon, il trouve ça un peu chiant parce que c'est de nuit mais il dit qu'il est content d'avoir trouvé un travail sérieux et que c'est mieux comme ça. Il dit aussi qu'il a l'impression d'avoir été embauché pour faire le chien de garde, mais ça, il s'en fout...

Ça me fait penser à certaines maisons de la zone pavillonnaire où ils mettent des pancartes avec la photo d'un gros doberman super flippant et une bulle qui dit : « Attention chien méchant ! » alors que tout le monde sait que dans cette maison-là le chien c'est un caniche nain nommé Pépère qui a une peur panique des enfants et des mouches.

Lundi, chez Mme Burlaud, c'était vraiment pas comme d'habitude. Déjà, quand je suis arrivée, elle m'a dit de m'installer puis elle est sortie du bureau en disant : « J'arrive tout de suite ! », façon coupure de pub dans les émissions de variétés. Elle est revenue que vingt minutes plus tard... et j'ai remarqué qu'elle sentait l'alcool. Elle sentait fort. Bon, ça encore c'était rien... Pendant la séance, j'avais pas grand-chose à dire alors à un moment, elle a croisé ses petites jambes courtes et elle a fait : « Tu as peut-être une histoire drôle à raconter ? » Et à ce moment-là, j'ai remarqué qu'elle avait des porte-jarretelles. J'ai regardé successivement sa tête puis ses porte-jarretelles et je me suis dit que c'était pas mal ça comme blague. Ensuite, elle s'est mise à me poser plein de questions sur Maman, des trucs indiscrets sur sa vie sentimentale et tout ça... Je lui ai dit qu'elle en avait plus depuis que l'autre est parti. Mme Burlaud, elle voulait savoir si j'envisageais que

Maman puisse refaire sa vie avec un autre homme. Et comment que j'envisage, je planifie carrément !

J'ai regardé une émission sur les célibataires et les nouveaux moyens de rencontres. Y a des trucs qui s'appellent les « speed datings ». En français, ça doit vouloir dire quelque chose de rapide. Je le sais parce qu'à Speed Burger, tu commandes ton hamburger, il est prêt en deux minutes, en plus 100 % halal. Bref, ces trucs-là, les speed datings, c'est des lieux de rencontres organisées. Tu restes en face de quelqu'un que tu connais pas pendant sept minutes. Juste le temps de dire « j'aime pas trop ta gueule » ou bien « t'habites encore chez ta mère ? ». Seulement j'imagine vraiment pas Maman dans un endroit pareil. Je crois pas vraiment qu'elle se remettra avec quelqu'un. Je disais ça juste parce que j'aimerais bien, c'est tout.

À moins qu'on vienne la demander en mariage directement à la maison. Le souci c'est que maintenant, elle est presque jamais chez nous, à part ce mois-ci parce que la formation s'arrête le temps des vacances. Je vais afficher ses horaires de présence sur la porte comme chez le médecin, avec même des critères de sélection.

Alcooliques, vieux, lâches s'abstenir.
Merci par avance.

De préférence : Travailleur, cultivé, drôle, charmant, belle dentition, philatéliste et amateur de tomates pelées en conserve.

Bon, OK, j'ai été un peu sévère avec les vieux mais en tout cas, pas d'alcoolos. Je veux plus jamais avoir à attendre à l'extérieur du Constantinois, le bar du centre-ville, qu'il finisse de picoler pour le ramener à la maison parce qu'il se souvient pas comment rentrer quand il a bu. Ni aller me foutre la honte à Sidi Mohamed Market en achetant des gros packs de bière pendant le ramadan et descendre les bouteilles vides à la trieuse après. Quand les bouteilles s'explosaient à l'intérieur de la boîte à recyclage, ça faisait du bruit et tout l'immeuble savait combien de bouteilles mon père avait descendues. Avec tout le verre qui a été recyclé grâce à lui, il aurait pu avoir la médaille du mérite de l'honneur de la République et même devenir la mascotte du parti écolo. J'aurais bien voulu changer de père et récupérer Tony Danza dans *Madame est servie*, mais il était déjà pris. Je crois que ça va pas être possible.

Hamoudi, il aimait bien ce travail. Il commençait à trouver ça bien la légalité. Mais ils l'ont viré parce que des trucs ont disparu dans l'entrepôt. Au moins pour six mille euros de matériel et c'est Hamoudi qui a été accusé. Même ses parents ne l'ont pas cru quand il a nié. De toute façon, eux, ils sont convaincus que c'est un bon à rien et le lui disent tout le temps.

En tout cas, moi, je l'ai cru. « J'm'en fous, j'suis propre, j'ai rien à me reprocher, j'ai bien fait mon boulot et je me suis pas endormi une seule fois ! Le seul truc qu'ils peuvent me reprocher, c'est cette sale gueule... » Il a dit ça en se montrant du doigt, les yeux grands ouverts. J'ai pas osé lui dire qu'il était beau. J'avais peur qu'il croie des trucs. Hamoudi, il est très brun, assez mat de peau et il a de grands yeux noisette... Une pure tête de Méditerranéen. Il dit que c'est la raison pour laquelle on l'a accusé injustement. Je sais pas s'il est parano mais en tout cas, ils avaient pas le droit de l'accuser sans preuve. Ça se fait pas.

La vie, elle est vraiment pleine de désillusions. En revenant du marché ce matin, j'ai entendu deux filles et un type discuter dans le bus. Les deux filles étaient jumelles ou presque. En plus d'être habillées pareil, coiffées pareil, elles parlaient pareil.

Le type, il était tout petit et il avait la bouche ouverte tout le temps. Par contre, Dieu soit loué, il disait rien. Il faisait qu'écouter. Les filles mâchaient du chewing-gum et faisaient des bulles à peu près à chaque fin de phrase.

– Tu connais *Le Caméléon* ?

– Ouais grave ! (Bulle.)

– Tu regardes tous les jours ? (Bulle.)

– Ouais !

– Tu vois qui c'est le héros dans la série ?

– Grave ! (Bulle.)

– Il s'appelle Jarod... (Bulle.)

– Ouais grave ! En plus, il est grave beau !

– Eh ben il est pédé ! (Bulle.)

– En vrai ?

– Pédé en vrai. (Bulle.)

– C'est un truc de ouf ! Comment tu sais ? (Bulle.)

– C'est ma sœur qui me l'a dit, elle a vu ça sur Internet !

– Ouais, c'est un truc de ouf ! Il est grave pédé en vrai sur Internet... (Bulle.)

Pas Jarod. On m'aurait dit James Dean, Claude François, Michael Jackson ou Christian Morin,

OK. Mais pas Jarod. Quand je regardais cette série, je suivais rien à l'histoire : c'était juste pour lui que je restais accroupie devant la télé comme une mule. Parce qu'il est vraiment trop beau. Ils ont trop de chance les autres pédés.

Mme Burlaud, elle dit tout le temps que toute ma vie j'aurai des déceptions et qu'il faut juste que je m'y habitue. Ouais mais ça, c'était pas marqué sur le contrat.

C'est bizarre, mais j'arrête pas de penser à Nabil le nul et j'arrive toujours pas à comprendre pourquoi il a fait ça. Pourquoi il a décidé subitement de coller sa grosse bouche sur la mienne. En plus, il a des lèvres énormes, j'ai eu peur qu'il m'aspire et que je me retrouve prisonnière en lui. Une fois sortie de là, toutes les télés du monde auraient fait le déplacement pour recueillir mon témoignage sur mon séjour dans Nabil le nul. Et puis j'aurais écrit un livre qui se serait intitulé *Voyage dans l'antre de Nabil*. Il aurait carrément fait les meilleures ventes à la Fnac.

Je me demande quand il revient, juste comme ça, pour savoir. Ah oui et aussi pour lui dire qu'il a des comptes à me rendre : en plus d'avoir de l'acné, il fait chier le monde.

Comme Maman est encore en vacances jusqu'à la semaine prochaine, on a décidé d'aller se balader toutes les deux dans Paris. La tour Eiffel, c'était la première fois qu'elle la voyait en vrai alors qu'elle habite à une demi-heure depuis presque vingt ans. Autrement, c'était à la télé, au JT de treize heures, le lendemain du jour de l'an quand elle est illuminée et qu'à ses pieds, des gens font la fête, dansent, s'embrassent et se bourrent la gueule. En tout cas, elle était vachement impressionnée.

– Ça doit faire peut-être deux ou trois fois notre bâtiment, non ?

Je lui ai répondu que c'était sûrement ça. Sauf que notre immeuble et la cité en général, ils suscitent moins d'intérêt auprès des touristes. Y a pas des mafias de Japonais avec leur appareil photo au pied des tours du quartier. Les seuls qui s'y intéressent, c'est les journalistes mythos avec leurs reportages dégueulasses sur la violence en banlieue.

Maman, elle serait bien restée des heures à la regarder. Moi, je la trouve moche mais c'est vrai qu'elle en impose parce qu'elle est puissante la tour Eiffel. J'aurais bien voulu monter dans les ascenseurs rouge et jaune, genre Ketchup-mayo, mais c'était trop cher. En plus, il fallait qu'on fasse la queue derrière des Allemands, des Italiens, des Anglais et encore plein de touristes qu'ont pas peur du vide et encore moins de dépenser leur fric. On avait pas non plus assez de sous pour acheter une tour Eiffel miniature, encore plus moche que l'originale mais c'est quand même la classe d'en avoir une posée sur sa télé. Les stands attrape-touristes, c'est hyper cher. En plus, les mecs, ce qu'ils vendent c'est vraiment de la merde. Après, y a un pigeon qui m'a chié sur l'épaule. J'ai essayé de m'essuyer discrètement sur une statue de Gustave Eiffel 1832-1923, mais la crotte était coriace et c'est pas parti. Dans le RER, les gens regardaient ma tache et j'avais la hchouma. J'étais dégoûtée parce que c'est la seule veste que j'aie qui fasse pas trop pauvre. Les autres, si je les mets, tout le monde m'appelle « Cosette ». Et puis, je m'en fous, que ça se voie ou pas, je serai pauvre quand même. Plus tard, quand j'aurai plus de seins et que je serai un petit peu plus intelligente, enfin quand je serai une adulte quoi, j'adhérerai à une association pour aider les gens...

Savoir que des personnes ont besoin de toi et que tu peux leur être utile, c'est mortel quand même.

Même qu'un de ces quatre, si j'ai pas besoin de mon sang ou d'un de mes reins, je pourrai en passer à des malades qui ont leur nom sur des listes depuis trop longtemps. Mais tout ça, je le ferai pas seulement pour me donner bonne conscience et pouvoir me démaquiller tranquille devant ma glace en rentrant du boulot, mais parce que j'en aurai vraiment envie.

Lila et Sarah sont revenues de Toulouse, elles m'ont acheté des gâteaux. Il y a sans doute aucun rapport entre Toulouse et les gâteaux mais c'est une gentille attention je trouve. Lila m'a raconté comment c'était chez sa sœur là-bas. Et puis elle a beaucoup parlé d'elle, comment sa vie était avant d'arriver à la cité du Paradis, avec le père de Sarah et tout ça...

Lila est d'origine algérienne, comme Tante Zohra. Elle est partie très tôt de sa famille pour vivre comme elle avait envie, comme dans les romans qu'elle lisait à seize ans. Avec le père de Sarah, ils se sont rencontrés très jeunes, et sont tout de suite tombés amoureux. Leur histoire commençait comme dans les films du dimanche après-midi, avec des « je t'aime » tous les dix mètres et des balades interminables par des belles journées de juillet...

Le problème c'est que les deux familles étaient contre cette union. Dans la famille du père de Sarah, ils sont bretons depuis au moins... je sais pas moi... dix-huit générations, alors que chez Lila, c'est tendance famille algérienne traditionnelle soucieuse de préserver les coutumes et la religion. Donc eux, ils étaient fâchés d'avance et puis la famille de son ex-mari, ils ont du mal avec le bronzage. Tous les deux, ils ont quand même décidé de se marier, alors que déjà à ce moment-là, le couple partait un peu en vrille. Lila dit qu'avec le recul, elle se rend bien compte qu'ils ont fait ça par rébellion plus que par amour. Le jour du mariage reste d'ailleurs un putain de mauvais souvenir. Une ambiance de mort, presque aucun invité de son côté, et comme par hasard, beaucoup de porc au repas préparé par le beau-père. Limite s'il en aurait pas mis dans la pièce montée juste pour déconner. Ça le faisait mourir de rire ces blagues bien lourdes sur la religion. À tous les repas de famille – enfin ceux où elle était invitée – il fallait qu'il sorte la blague athée de huit heures moins le quart. Déjà que Lila elle se sentait pas à sa place...

Et puis un jour, elle en a eu marre, des blagues du beau-père, du saucisson sec à l'apéro et de son mari chômeur attitré qui passait son temps enfoncé dans le canapé à mater des rediffusions à la télé en buvant une bière qui porte comme nom une date du milieu du XVIIe siècle. Alors elle a demandé le divorce et ça a pas été facile. Aujourd'hui, elle élève sa fille toute seule mais elle espère encore rencontrer quelqu'un qui lui « correspond » vraiment. Ça m'a fait penser à un article sur les mères célibataires que j'avais lu dans un magazine qui traînait sur la table basse chez le médecin. En tout cas, j'ai compris que derrière ses apparences de caissière de supermarché qui découpe des articles tendance dans *Femme actuelle*, Lila, c'est une grande rêveuse.

Et puis après tout, ce que disent les magazines féminins sur l'homme idéal c'est peut-être fondé. Y a des articles de trois pages qui t'expliquent que le mec bien, enfin celui qu'il te faut, il est jamais très loin, mais que souvent on s'en rend pas compte tout de suite. Ensuite, y a le témoignage de Simone, trente-neuf ans, qui explique que son ancien voisin de palier, Raymond, est tombé amoureux d'elle le premier jour. Elle, au début, elle le regardait même pas, mais aujourd'hui c'est l'homme de sa vie. Ils sont mariés et ont deux enfants. C'est ça l'histoire. Ils sont heureux parce qu'ils ont une vie normale et ressemblent aux Bidochon.

Si ça se trouve, l'homme idéal que je regarde même pas et avec qui j'aurai deux enfants plus tard, c'est Nabil... Avant, je me foutais de sa gueule, je disais que ce mec était une tache et d'autres trucs comme ça. Mais si j'analyse la situation, je vois qu'il m'a aidée pendant des mois en échange de rien, et surtout qu'il a été très courageux d'oser m'embrasser par surprise en prenant le risque de recevoir un coup de genou là où ça fait mal. Je suis sûre que si je demandais son avis à Mme Burlaud, elle me dirait de laisser une chance à Nabil. C'est vrai qu'il est pas si nul que ça au fond. C'est même un brave type. Et puis, l'acné, ça dure pas toute la vie.

À son retour de vacances, je lui parlerai pour de vrai. Je ferai pas l'autiste comme je fais avec tout le monde pour me défendre. Si ça se trouve, j'aurai même pas besoin de lui parler. Ça va se passer comme dans les films d'amour où les héros se parlent pas puisqu'ils se comprennent direct. J'espère que ça va faire pareil pour Nabil et moi. En tout cas ça m'arrangerait...

J'en ai pas encore parlé à Maman mais je crois qu'elle aime bien Nabil parce que c'est un mec plein d'ambition. Il veut carrément participer au « Bigdil » et gagner la voiture. Ça c'est un truc que j'admire parce que moi, j'arrive pas à me projeter dans l'avenir. Faudrait que j'adopte la technique Shérif : ça fait des années qu'il joue au tiercé et qu'il perd tout le temps, mais il continue. Il s'en fout. C'est peut-être ça la solution : garder toujours un petit espoir et ne plus avoir peur de perdre.

Des nouvelles de Samra ont flotté dans la cité. Samra, c'est la prisonnière qu'habitait dans mon immeuble et que le frère et le père ont poussée à bout jusqu'à ce qu'elle se tire. On l'aurait aperçue, il y a quelques jours, pas trop loin, ou alors très loin, je sais plus. En tout cas, on dit qu'elle s'est enfuie de chez elle pour un garçon. Je me disais bien qu'elle devait avoir une excellente raison de s'être tirée du pénitencier. Il paraît qu'elle va bien et que ce mec elle l'a rencontré à La Grande Récré en décembre dernier. Elle a travaillé là-bas pendant les vacances. Son boulot, c'était d'emballer les cadeaux de Noël. À force, elle devait avoir la technique et c'est ça qu'a dû plaire à son mec qui travaillait aussi là-bas. D'après ce que tout le monde dit, c'est un toubab, enfin un Blanc, un camembert, une aspirine quoi... Alors le frère de Samra, celui qui a un gant de boxe à la place du cerveau, il veut sa peau au pauvre mec, alors que le seul crime qu'il ait jamais commis c'est d'avoir donné un peu d'amour à sa sœur. À mon avis, ils ont dû déménager et s'installer plus loin pour qu'on leur fiche la paix. En planque, comme des fugitifs, coupables d'un truc normal. Parfois je me dis qu'il y a des gens qui doivent se battre pour toute chose. Même pour aimer c'est la lutte.

Mais bon, maintenant elle est avec le mec qu'elle aime, loin du centre de détention qui lui servait de foyer, elle peut faire ce qu'elle veut. En gros elle est libre quoi. Enfin plus ou moins... Car il faudrait pas qu'il la largue. Si jamais au bout d'un an d'union, il jette ses affaires sur le palier en lui criant : « Casse-toi de chez moi ! », elle aurait plus qu'à partir sans réagir, résignée, comme une bouffonne... Elle habiterait une chambre d'hôtel minable qu'elle réussirait à payer grâce à une partie de son salaire de repasseuse à La Farandole du linge. Et surtout, elle ne croirait plus en rien. Ni aux hommes, ni à l'amour.

J'ai mes dents de sagesse qui poussent. Ça me fait hyper mal. Je vais être obligée d'aller voir Mme Atlan. Mme Atlan, c'est la dentiste du secteur. Avec elle, faut pas avoir peur. Elle est très sympa mais elle a dû apprendre son métier sur le terrain, pendant la guerre du Golfe ou les invasions turques, je sais pas. En tout cas, elle est plutôt brutale comme femme. Une fois, elle a failli m'arracher la mâchoire. J'essayais de hurler et de gesticuler sur le fauteuil pour qu'elle comprenne que je souffrais et elle, tranquille, elle continuait en disant :

– T'es courageuse comme nana, allez, encaisse !

Puis comme j'avais quand même super mal, elle a essayé de faire diversion :

– Tu aimes le couscous boulettes ?

Adolescente, elle a dû hésiter entre catcheuse, CRS et dentiste. Ça a pas dû être facile pour elle de se décider mais elle a préféré celui des trois qui conjugue violence et perversité. C'était sans doute plus rigolo pour une psychopathe comme elle.

Je l'imagine bien à mon âge ado dépressive et un peu maso sur les bords. Elle devait s'habiller comme Action Man, écouter du hard-rock pour s'endormir le soir et manger du café soluble à la petite cuiller au goûter. Et puis un jour, en achetant un paquet de riz au supermarché, elle est tombée amoureuse du vieux Noir américain en photo sur la boîte orange. Le type il s'appelait Uncle et son nom de famille, c'était Ben's. Le vieux Ben's, ça fait des années qu'il est sur le paquet de riz, ça doit donc faire un bail qu'il est vieux. Si ça se trouve, il est mort depuis longtemps et personne ne le sait. C'est peut-être la compagnie de riz d'Uncle qui a caché son décès au monde entier histoire de ne pas décevoir des milliers de consommateurs. Le pauvre Uncle, si ça se trouve, il est mort dans l'anonymat, tout seul au milieu d'une rizière. Ça me fait penser au gamin qui est en photo sur les paquets de Kinder. Ça date d'au moins vingt ans ! Aujourd'hui le mec, il doit avoir la trentaine facile, être cadre dans une boîte de désodorisant à la lavande, être marié avec une blonde à forte poitrine et il doit vivre aux États-Unis dans une de ces banlieues branchées où les maisons se ressemblent toutes avec la piscine et la Jeep garée devant. Et même en prime le chien qui mord pas, encore lui, bien sage dans sa niche avec son nom marqué dessus : Walker.

Je me demande pourquoi on appelle ça des dents de sagesse... Plus ça pousse et plus t'apprends des trucs ? Moi, j'ai appris que ça fait mal d'apprendre.

Là, je dois dire que je m'y attendais vraiment pas. C'est Sarah qui m'a tout raconté. Si elle avait pas eu quatre ans, je l'aurais jamais crue. Alors que j'étais en train de lire un des magazines de Lila, elle s'est plantée en face de moi, m'a regardée de son air « je sais un truc que toi tu sais pas... » et m'a dit :

– Eh ben Maman, elle est amoureuse avec le grand qui a des dents abîmées.

Lila et Hamoudi ! J'ai cru que j'allais faire une crise d'asthme. Comment ils ont pu me faire ça ? J'ai eu l'impression de me retrouver dans un reportage de la une, dans l'émission « Sept à huit » présentée par les Ken et Barbie intelligents de la télé.

Ça commence comme ça :

« Quinze ans et déjà désenchantée. Pour elle, la vie n'est qu'une brève illusion. Dès la naissance, elle est une énorme déception pour ses parents, particulièrement pour son père qui s'attendait à voir sortir du bidon de sa femme un petit mâle de 3 kilos 500 et 51 centimètres pourvu d'un zizi de taille moyenne, peut-être pour se rassurer sur sa propre virilité [...].

Hélas, c'est le drame, il met bien au monde une petite fille qui se demande déjà ce qu'elle fout là... »

Là, on me voit apparaître à l'écran, le visage flouté et la voix déguisée, genre dessins animés. Je me tourne vers la caméra et je commence à tout déballer :

« De toute façon, j'veux dire, à quoi ça sert de vivre ? J'ai pas encore de seins, mon acteur préféré est homosexuel, y a des guerres sans but et des inégalités entre les gens et la cerise sur le gâteau : Hamoudi fricote avec Lila et ne m'en dit pas un mot ! Hein... J'ai raison, on a des vies de merde... »

Là, le mec qui fait la voix prend le relais, accompagné d'une musique d'ambiance vachement triste.

« Elle a pas tort la gamine... C'est vrai ça, on a des vies de merde, j'crois bien que je vais arrêter de faire la voix off à la télé, c'est un métier de chiotte, on a aucune reconnaissance, enfin j'veux dire personne nous demande des autographes dans la rue à nous, ça rend pas célèb', c'est un métier de bouffon. J'vais créer une association : Les Voix off anonymes, parce que personne lit mon nom au générique de fin des reportages. J'en ai marre, j'suis à bout...

Et puis j'en profite puisque j'en ai l'occasion aujourd'hui, je vends ma caisse si ça intéresse quelqu'un, c'est une Twingo verte en bon état, elle est pratiquement neuve, elle a sept ans... »

En plus d'apprendre ça par Sarah... Non mais après, ça va être quoi ? Pourquoi Hamoudi ne m'a rien dit ? Il me prend encore pour une gamine ? Il croit peut-être que je comprends pas ce genre de trucs ? J'ai été capable de comprendre des trucs plus compliqués. J'ai toujours rempli les papiers administratifs pour Maman et même quand mon père était là, c'est moi qui le faisais. Même que j'en avais marre parce que les fiches d'impôts, c'est du charabia. Une fois, j'ai demandé à mon père comment ils faisaient, lui et Maman, avant que je sache lire et écrire. Il a pris ça pour de l'insolence. Il m'a frappée. Mais pas juste un peu. Frappée fort et longtemps. Mais je pleurais jamais. En tout cas, pas devant lui, parce que mon père était comme celui d'Hamoudi : il pensait que les filles, c'est faible, que c'est fait pour pleurer et pour faire la vaisselle.

Heureusement, tous les pères ne sont pas comme ça. Celui de Nabil, il est gentil par exemple. Il l'a jamais frappé et il parle avec lui tout le temps. Ils vont même se balader ensemble quand il fait beau. Et puis, il a de la chance Nabil : ses parents sont cultivés, ils savent lire et écrire et pour ses treize ans ils lui ont acheté ces putains de rollers alignés dont j'ai rêvé toute ma vie et que je découpais dans les catalogues de Joué Club à Noël, juste pour les voir de plus près.

Il a rien compris Hamoudi. Je suis plus une gamine.

Elle a raison Mme Burlaud : avec le temps, beaucoup de choses changent. Parfois, je me dis qu'elle aurait dû faire proverbe chinois comme métier. Elle disait ça à propos de Maman qui a trouvé un nouveau travail grâce à la formation. Quand elle me l'a annoncé, elle avait l'air heureuse et ça faisait un bout de temps que c'était pas arrivé. Elle est dame de cantine pour la municipalité. Elle sert les enfants de l'école primaire Jean-Moulin. Y a même son prénom marqué en rose sur sa blouse : Yasmina.

Seulement y a un petit truc qui l'embête : à la cantine, surtout le mardi, elle sert du porc et elle croit qu'elle va aller en enfer à cause de ça. Une fois, elle m'a fait une confidence. Elle m'a dit que le « haâlouf », ça avait l'air bon quand même... Ça m'a bien fait marrer. Mais elle a culpabilisé à mort d'avoir osé penser ça et de me l'avoir avoué.

Je sais pas ce qu'ils lui ont fait à la formation mais elle est plus la même. Elle est plus heureuse, plus épanouie. C'est ce qu'ils disaient dans *Paris-Match* à propos de Céline Dion juste après la naissance de son bébé René-Charles. Et puis elle commence à se débrouiller un petit peu en lecture. Elle lit les syllabes à peu près correctement. Du coup, elle s'arrête dans la rue pour déchiffrer les panneaux publicitaires ou les enseignes des magasins. La dernière fois, elle a même acheté le journal. Bon, OK, c'était *Charlie Hebdo* parce qu'il y avait plein de dessins mais c'est déjà ça... Même l'assistante sociale Cyborg lui a fait remarquer qu'elle progressait.

Je pense à elle parce qu'elle est venue l'autre jour à la maison, un peu à l'improviste. Elle a posé plein de questions sur le travail de Maman, puis s'est mise à parler de mon orientation et de mon avenir dans la coiffure. Elle a cru quoi l'autre ? Que tripoter les cheveux des gens c'était ma grande passion ? Quelle **** (c'est de l'autocensure) ! Elle a pas surligné au Stabilo les bonnes phrases dans notre dossier à douze chiffres. Elle a pas encore compris que de toute façon c'était ça ou rien. Cette bouffonne, à un moment, elle s'est trouvée intelligente, elle m'a regardée et m'a dit :

– Mais c'est trop facile de ne pas choisir et de laisser les autres décider à ta place, Doria...

Alors, là, je l'ai jouée hollywoodienne. Je l'ai fixée bien droit dans les yeux et je lui ai fait avec de l'émotion dans la voix et la larmichette au coin de l'œil :

– Vous en êtes sûre ?

Comment je te l'ai déstabilisée l'assistante électronique là ! Après, elle avait plus rien à dire alors elle a commencé à débattre de la guerre en Irak avec Maman.

– C'est toujours les femmes et les enfants qui souffrent de toute façon, en plus la guerre, c'est horrible ! Hmm... Bon. Au fait, vous avez pu payer le loyer dans les temps ce mois-ci à ce qu'on m'a dit ?...

Pendant ce temps-là, royale, je suis allée dans la cuisine, pour nettoyer la gazinière avant que Cyborg fasse son inspection parce que c'était carrément dégueulasse.

Je devrais peut-être faire ça au fond. Jouer la comédie. Faire du cinéma, c'est la classe quand même. Je connaîtrais la gloire, l'argent, les récompenses... Je me vois déjà au festival de Cannes, prendre la pose et sourire au troupeau de photographes en train de me flasher, habillée comme Sissi dans *Sissi impératrice*. D'un geste nonchalant, je saluerais la foule venue m'acclamer. Non, parce que tous ces gens, c'est pour moi qu'ils seraient là et pas pour Nicole Kidman, Julia Roberts... Non, juste pour moi. Et Maman, tout émue, interviewée par des chaînes de télé : « Ça fait lantemps je rêve ma fille monter dans les escaliers de Cannes, alors c'est fourmidable, merci boucoup... » Pas les escaliers, Maman, les marches... Alors pendant que je les monterais, j'espérerais secrètement que la cérémonie soit retransmise sur la télévision marocaine et que mon barbu de père tombe dessus par hasard. Il s'en mordrait les doigts d'être parti parce que maintenant sa fille, c'est une star. Pas une paysanne. Pendant la cérémonie de remise des prix dans la grande salle du palais je verrais au premier rang ma mère, Hamoudi, Lila enceinte, Sarah et Mme Burlaud. Robert De Niro m'appellerait pour me remettre le prix d'interprétation féminine. Ce coquin en profiterait pour me faire la bise et glisser son numéro de portable discrètement dans mon décolleté. Le public debout. Moi, face à tous ces gens. Ovation ! Prévoyante, j'aurais écrit un discours génial. Et histoire d'être plus à l'aise, plus naturelle, plus moi, quoi, j'aurais appris le texte par cœur :

– ... Et enfin, je remercie la Caisse d'allocations familiales de Seine-Saint-Denis d'avoir pris en charge le voyage pour venir à Cannes... Merci, ô public aimé !

Bon c'est pas tout mais je me rends compte qu'au lieu de rêver, je ferais mieux de frotter plus énergiquement cette putain de gazinière parce qu'elle est vraiment crade quand même. Ils font chier avec leurs visites à l'improviste.

Notre chère assistante Cyborg, après avoir fait gentiment sa petite inspection, a quitté l'appartement.

Nous on croyait que c'était fini. Coupé. Fin de journée. Tout le monde quitte le plateau. Mais non. Un quart d'heure après, elle est revenue essoufflée, parce qu'elle s'était tapé tous les étages à pied – l'ascenseur est encore en panne –, et complètement en panique. Elle nous a expliqué qu'on venait de lui chourave son Opel Vectra qu'elle avait garée juste en bas de l'immeuble. Elle était remontée chez nous pour appeler un taxi. Maman lui a répondu étonnée : « Mais, madame, on nous a coupé le téléphone depuis deux ou trois mois déjà... » L'autre assistante de mes fesses j'ai cru qu'elle avait vu le diable : « C'était pas marqué dans le dossier ça... »

L'autre soir, j'ai vu Hamoudi et il m'a raconté son histoire avec Lila. Au début, j'avais l'intention d'avoir une discussion sérieuse et adulte avec lui sur le fait qu'il ne m'ait rien dit... Et puis finalement, j'ai rien osé lui dire. Il avait l'air tellement amoureux. J'ai pas voulu lui casser son délire. Il n'a parlé que d'elle pendant deux heures. Lila, elle a remplacé Rimbaud. Le poète, à la trappe. Allez hop dégage... Il a carrément prévu de l'emmener en week-end avec l'argent de la drogue.

Et puis il a commencé à parler du destin. Encore lui. De toute façon, ici, tout a toujours un rapport avec le destin. Que ce soit bien ou pas. Eh ben moi je me rends compte que le destin, pour l'instant, il m'aime pas trop. Et comme dit Mme Burlaud, j'ai pas fini d'être déçue. Elle est pire que perspicace cette meuf, elle est extralucide. C'est vrai : elle me disait déjà ça avant les vacances et résultat : j'ai passé tout mon été à galérer.

Alors comme j'avais rien à foutre, je me suis préparée psychologiquement au retour de Nabil.

Je m'attendais vraiment à un événement sensationnel, genre *Souviens-toi le retour de Nabil 2*. Ouais, c'est ça, le retour de Nabil. Nabil, le gros nul.

Je me suis dit que quand il reviendrait, je serais capable de lui dire mes sentiments qui s'embrouillent chelou à l'intérieur de moi. Bref, j'étais prête quoi... Et lui, ce petit con acnéique, il revient de vacances tout bronzé et il me connaît plus. Oui, depuis que Nabil est revenu de Djerba, il me calcule plus. Il passe devant moi sans même me dire bonjour. En plus, il a un anneau à l'oreille et des poils sur le menton maintenant. Il a grandi, il flambe, ça y est.

Ça me fait penser au film *Grease* avec Olivia Newton John et John Travolta. Dans l'histoire, c'est l'été. Olivia et Trav, ils se kiffent. Ils courent sur la plage, chantent des chansons gaies et s'embrassent sur la bouche au pied des rochers. Et puis à la rentrée, Olivia elle est toujours en kiffe mais Trav, lui, pour flamber devant les potes du lycée, il la calcule plus parce qu'il a honte d'elle. Il s'est bien foutu de sa gueule. Et elle, comme une bouffonne avec sa couette et sa robe rose, elle court pour aller chialer. Faible femme. Mais le vrai enfoiré c'est Trav avec son pantalon en cuir moulant et sa coupe de guignol. Quand j'ai raconté toute l'histoire avec Nabil à Mme Burlaud lundi, elle m'a bien remonté le moral. Et sans le faire exprès en plus...

– Peut-être que Nabil préfère les garçons. Tu y as pensé ?

Ah ouais... Comme Jarod. C'est peut-être ça. Une mère comme la sienne, ça peut faire qu'un fils pédé de toute façon, hein ? Si ça se trouve, il connaît toutes les chansons de Dave par cœur et porte des sous-vêtements près du corps.

Pfff. N'importe quoi. En fait, Mme Burlaud elle en sait rien du tout si Nabil est pédé. Moi je sais seulement que je suis un peu déçue parce que je croyais qu'il m'aimait bien, c'est tout...

Rachida notre voisine, la plus grosse commère de la cité, est venue à la maison l'autre soir. Elle nous a apporté trente euros et des courses pour la semaine. De temps en temps, y a des gens du quartier qui nous font l'aumône et ça nous aide pas mal. Mais ce qui est bien avec la grosse Rachida, c'est qu'en plus de nous faire la charité, elle nous fait le remix de l'émission « Potins de stars », version cité du Paradis. C'est elle qui nous apporte les dernières nouvelles et quand elle en a de bien croustillantes, elle en est fière comme de son premier-né mâle.

Rachida a reparlé à Maman de Samra, la zonzonnière du onzième étage, celle qui s'est sauvée de chez elle pour aller rejoindre son mec. Il paraît qu'elle s'est carrément mariée avec lui.

Le père de Samra, tortionnaire à la retraite (puisque sa fille est partie), un matin, en achetant le journal, il tombe par hasard sur la rubrique « Félicitations aux jeunes mariés », et y avait le nom de sa fille, le sien aussi donc, à côté de celui du type toubab. Alors le vieux, il a pas supporté et il est tombé malade, on dit qu'il a une partie de son corps paralysée. Sûrement le choc d'avoir vu son nom « sali » comme ça. Le nom que son père, son grand-père et d'autres types avant lui ont déjà porté. Encore une question d'honneur je suppose...

Le père de Samra, il va se paralyser l'autre moitié du corps le jour où il tombera par hasard sur la rubrique « Bienvenue aux nouveau-nés » dans le journal. S'il pouvait mettre sa fierté de côté, il verrait que le plus important, c'est le bonheur de sa fille. (Je la joue un peu série américaine à moralité mais je m'en fous, j'assume.)

Et puis, de toute façon, avec toutes ces histoires de destin, je commence à croire que le hasard, ça existe pas.

C'est des foutaises. C'est pas un hasard si Passe-Partout, le petit nain de « Fort Boyard », dans le civil c'est un agent de la RATP et que son vrai nom, c'est André Bouchet. Tu pètes un câble le jour où tu fraudes à gare du Nord et qu'il y a un petit contrôleur qui réclame ton titre de transport, là, tu vois personne, tu baisses la tête et tu vois Passe-Partout. En plus, ça sert à rien de te sauver, le type, il court hyper vite, je l'ai vu dans le fort. Et puis, si ça se trouve, tous les mecs de l'émission, ils sont dans la fonction publique. T'imagines le père Fouras en keuf ? Quand même, s'ils nous coupent la télé comme ils nous ont coupé le téléphone, c'est chaud. J'ai que ça... M. Werbert, mon prof de géo de l'année passée, quand on a étudié la période médiévale, il nous a dit que l'église, les dessins des vitraux, c'était la Bible du pauvre, pour les gens qui savaient pas lire. Pour moi, la télé aujourd'hui, c'est le Coran du pauvre.

Quand je regarde la télé, Maman écoute Enrico Macias et tricote. Ah oui. J'avais oublié ça, elle a repris le tricot. Elle en faisait souvent avant que Papa s'en aille. Maintenant, elle tricote à la maison avec « Jéquiline », enfin Jacqueline, sa formatrice avec qui elle est devenue copine. Jacqueline, elle était blonde avant d'être vieille et grise. C'est elle qui me l'a dit. Elle fait de la confiture de rhubarbe certains dimanches et ses voisins sont fans de foot alors les soirs de match, elle a du mal à s'endormir. Elle est gentille Jacqueline. Une fois, Maman a dit à Jacqueline qu'il lui fallait une toile cirée, juste comme ça au milieu d'une conversation, et Jacqueline, la semaine suivante, elle a apporté une toile cirée à la maison. Bon, OK, la toile cirée, elle était très moche, y avait des scènes de chasse dessus, avec des grands cerfs et plein de bambis qui se faisaient tirer dessus... Mais j'ai trouvé ça gentil quand même.

En plus, Jacqueline, elle s'intéresse à des tas de trucs, elle pose des questions à Maman sur la religion, la culture marocaine et plein d'autres trucs comme ça... « C'est pour savoir si ce qu'ils disent à la télé c'est vrai quoi... hein... »

Et puis des fois elle raconte des histoires de la Bible à Maman. L'autre jour, elle lui a raconté l'histoire de Job. Je me souviens d'une fois où on a lu un extrait de ce texte en cours de français avec Mme Jacques. Elle m'avait engueulée parce qu'à mon tour de lecture, au lieu de prononcer Job, j'ai dit « Djob ». Je l'ai prononcé à l'anglaise. Et cette vieille folle de Mme Jacques, elle m'a accusée de « souiller notre belle langue » et d'autres trucs aussi débiles. J'y peux rien, je savais pas qu'il existait ce type-là, Job. « Parr votrrre faute, le patrrrimoine frrrançais est dans le coma ! »

Hamoudi, grâce à Lila, est sorti de sa mauvaise passe. Il a trouvé un nouveau travail : vigile à Malistar, la petite supérette d'en bas de chez moi. Mais c'est en attendant de trouver autre chose et d'arrêter enfin le deal. Il fume beaucoup moins. On se voit moins aussi. Mais il est mieux, et c'est le plus important. Lui qui disait tout le temps que c'était foutu de toute façon, qu'il y avait pas d'issue. Mais quand il disait ça il s'excusait tout de suite après.

– J'ai pas le droit de dire des choses pareilles à une gamine de quinze ans. Tu dois pas m'écouter, t'as compris ? Faut y croire ! D'accord ?

Ça ressemblait presque à des menaces. Mais il

avait raison. Il a trouvé sa sortie de secours aujourd'hui. Il parle carrément de faire sa vie avec Lila. Ça veut dire qu'il n'y a pas que le rap et le foot. L'amour c'est aussi une façon de s'en sortir.

Le jour de la rentrée, c'est un des pires de l'année avec Noël. J'en ai eu la diarrhée trois jours avant. L'idée d'aller dans une nouvelle école que tu connais pas avec plein de gens que tu connais pas et, pire, qui te connaissent pas non plus, eh ben moi, ça me donne la chiasse. Pardon, la colique. Ça fait moins dégueulasse.

Lycée Louis-Blanc. Qui c'est celui-là déjà ? Louis Blanc ? J'ai regardé dans le dictionnaire des noms propres. Avec un nom pareil, il est sûrement dans le dictionnaire des noms propres.

« Louis BLANC (1811-1882). Journaliste et socialiste réformiste. »

En France, trois mots en « iste », ça suffit pour qu'on donne ton nom à un lycée, une rue, une bibliothèque ou une station de métro. Je me suis dit que c'était peut-être bien de me renseigner un peu, on sait jamais des fois qu'un galérien vienne me demander : « Hé ! Toi là ! C'est qui Louis Blanc ? » Là, cet enfoiré, je le regarderais droit dans les yeux et je lui dirais à cette racaille de bac à sable qui croit m'impressionner : « Journaliste, socialiste, réformiste... » Et avec l'accent américain en plus, comme dans les films en VO qu'on allait voir en classe d'anglais. Ça te la coupe, hein ? Même si t'es pas circoncis, espèce de bouffon.

Le matin de la rentrée, Maman a été trop mignonne. Elle voulait que sa fille soit la plus belle à l'occasion de « L'écoule neuf, la jdida... Hamdoullah ». Enfin, pour le nouveau bahut quoi. Elle a repassé mes habits les moins moches, en particulier mon jean contrefaçon Levis (très bonne imitation) qu'elle m'a dégoté au marché de La Courneuve. « Allez, madame, monsieur, on profite ! On profite ! C'est cadeau, Levis à douze euros ! C'est soixante-dix en magasin ! On profite ! Eya Eya ! On y va ! » Elle a coiffé mes longs cheveux noirs. Elle les avait pareils plus jeune. Après, en vieillissant, elle en a perdu et ils étaient plus tout noirs. Elle m'a fait une queue-de-cheval après me les avoir brossés avec de l'huile d'olive. À l'ancienne, l'huile d'olive. Comme au bled. Moi, j'aime pas trop mais je lui ai rien dit parce que ça lui faisait trop plaisir de me faire jolie. Ça me rappelait les matins de photo de classe à l'école primaire, elle me faisait pareil. Sur les photos, j'avais les cheveux soyeux et brillants comme dans la pub Schwarzkopf : « La qualité professionnelle pour vos cheveux ». Mais en vrai, ils étaient gras et sentaient la friture à cause du Zit Zitoun. Quand l'institutrice me caressait la tête parce que j'avais donné une bonne réponse, elle s'essuyait la main sur son jean. Le jour de la photo de classe, toutes les institutrices portent des jeans.

M'en fous. Du moment que j'étais jolie dans les yeux de Maman. Quand les gens disent que je lui ressemble, je suis fière. J'ai presque rien pris de mon père. Sauf mes yeux, qui sont verts comme les siens. Dans ceux de mon père, il y avait toujours de la nostalgie. Alors quand je me regarde dans la glace, je le vois lui et sa nostalgie. Tout le temps. Mme Burlaud m'a dit que je serais complètement guérie le jour où je me verrais moi dans la glace. Juste moi.

Pour qu'on voie mieux mes yeux, Maman me les a entourés de khôl. Elle m'a embrassée sur le front et a fermé la porte derrière moi en souhaitant que Dieu m'accompagne. J'espère qu'il est en bagnole parce que les transports en commun, ça me stresse. Je suis allée à pied à la mairie pour prendre le bus jusqu'à Louis-Blanc. Et là, dans le bus, qui je vois avachi sur les sièges à quatre, walkman à fond dans les oreilles ? Nabil le nul. Comme par hasard.

Son regard croise le mien et, comme dans les films, il me fait l'expression du mec plein de culpabilité. Il hoche à peine la tête et me sort un minuscule : « Ça... a ? » Flemmard en plus le Nabil. Trop chiante à prononcer la lettre *v* ?

Comme réponse, j'ai cligné des yeux et serré fort les lèvres pour qu'il comprenne : « Je t'emmerde, Nabil gros nul, microbe boutonneux, homosexuel et confiant. » J'espère qu'il a su traduire.

Ensuite, je suis allée m'asseoir à côté d'un vieil Africain qui tenait un chapelet de bois dans sa main. Il faisait tourner les boules lentement entre ses doigts. Ça m'a rappelé mon père dans ses rares moments de piété, même s'il n'avait rien d'un bon musulman. On va pas prier après avoir descendu un pack de 1664. Ça ne sert à rien.

Bref, Nabil est descendu trois stations avant moi. Il m'a pas dit au revoir, ni salut, ni beslama. Rien, walou. Ça a déjà dû lui coûter de me dire : « Ça... a ? » Même pas un vrai « ça va ». Alors « au revoir », c'était trop demander. J'avoue que ça m'a foutu quand même un peu la haine. Mais le pire m'attendait.

J'arrive au lycée Louis-Blanc nom propre du dico, et là, je me retrouve au milieu d'une trentaine de poufiasses décolorées, permanentées, et liberté, égalité, fraternité. Ça ressemblait pas à une rentrée des classes. J'avais l'impression d'attendre pour un casting. Ils étaient tous archi-branchés, « fashion », comme ils disent à la télé. Alors moi, avec mon khôl autour des yeux et mon jean contrefaçon, je me sentais pas tout à fait dedans.

Ensuite, on nous a appelés pour monter dans les classes par groupes. Notre professeur principal, c'est une femme. Elle s'appelle Agnès Bernard mais rien à voir avec Agnès B. C'est une jeune prof d'une trentaine d'années à peine, blonde, qui parle avec un cheveu sur la langue et s'habille un peu comme tout le monde. Ouais, elle est commune. Heureusement qu'elle zozote sinon elle serait pas du tout originale la pauvre. Elle nous a expliqué en quoi consistait la formation de ce CAP coiffure et ce qu'on allait foutre toute l'année. « Technologie des produits : réglementation des produits d'hygiène corporelle, matières premières utilisées dans les produits capillaires... Technologie des matériels : appareils pour le séchage et la mise en forme des cheveux, outils et instruments de coupe, accessoires de mise en forme... Techniques professionnelles bien sûr : shampooing, décoloration, coloration, permanente, séchage, coiffage... » Du chinois. Du noich. Mais qu'est-ce que je suis allée foutre dans ce truc ?

Quand je suis rentrée à la maison, j'étais devenue dépressive. J'aime pas m'effondrer mais là je pouvais plus me retenir. À peine j'ai franchi la porte d'entrée du F2 que je me suis mise à chialer, limite si j'ai pas déclenché un état d'urgence inondation dans l'immeuble. Heureusement que Maman n'était pas là. Je la connais, elle aurait chialé elle aussi sans même savoir pourquoi je chialais.

Quelques jours plus tard, j'ai arrêté le baby-sitting. J'étais trop occupée, je faisais plein de choses. Complètement overbookée. Plus le temps de m'occuper d'une gosse. Désolée.

Nan, en fait je garde plus Sarah parce que c'est Hamoudi qui le fait à ma place. Comme il travaille à la cité, et qu'il finit à quatre heures, il peut aller chercher la petite. C'est bien. Ouais. En plus, ça fait comme une vraie famille.

Je vois Hamoudi quand je vais faire les courses en bas. Il me parle devant Malistar en déchargeant quelques cartons de riz. Au bout de cinq minutes, comme j'ai l'impression de déranger, je m'en vais. Il faut dire qu'il me parle comme à tous les autres. C'est plus l'Hamoudi du hall 32. Et ça, il le sait. L'autre jour, j'ai trouvé un petit mot dans la boîte aux lettres, accompagné d'un billet de vingt euros. C'était signé « Moudi ». Un surnom. C'est nul comme surnom. J'aurais sûrement fait mieux, moi. Quand je pense qu'Hamoudi disait qu'il trouvait ça ridicule les surnoms. Maintenant il signe carrément « Moudi ». Elle aurait quand même pu trouver autre chose Lila. Moudi. Mais « Mou dit quoi ? ». Il dit rien, plus rien du tout. Les surnoms, ça fait couple bourgeois : « Tu veux encore du lapin, mon canard ? » Ça marche aussi dans l'autre sens. Trop pourrave.

Bref, comme pour se donner bonne conscience parce qu'il culpabilisait de m'avoir un peu laissée tomber, il m'a mis ce petit mot dans la boîte aux lettres avec un billet de vingt euros. Il croit que de l'argent ça compense un manque ou quoi ? Faut qu'il arrête de lire les dossiers psycho des magazines féminins posés sur la table basse chez Lila. Même ce qu'il a écrit c'était nul : « Si t'as besoin de moi, tu sais où me trouver... » Ouais eh ben ce que je sais, Hamoudi, c'est que t'es plus dans le hall 32. Tu nous as laissés tomber Rimbaud et moi. Lâcheur. Tous pareils de toute façon. Des lâcheurs.

Même Mme Burlaud, si elle était pas payée pour me voir à heure fixe une fois par semaine, je suis sûre qu'elle m'aurait lâchée.

En passant devant le bar-tabac du centre-ville, j'ai remarqué un papier collé sur la vitrine. Il était écrit : « La Française des jeux-LOTO : Ici un gagnant : 65 000 euros. » À chaque fois, ils mettent « Ici un gagnant ». Mais ils marquent jamais qui c'est. Les buralistes, c'est des types braves, pas des balances. Ils crament jamais les blases. Sauf que là, je sais qui est l'enfoiré qui a eu le bol de remporter le gros lot. C'est notre Shérif international. Il va sûrement passer à la télé et devenir célèbre. Comme ça, il va échapper aux contrôles d'identité. Ouais, s'il est connu, on n'aura plus besoin de savoir comment il s'appelle. En tout cas, il le méritait. Ça fait tellement longtemps qu'il essaie. Je suis curieuse de savoir ce qu'il va faire de son argent. Changer de casquette ? de jean ? d'appartement ? de cité ? de pays ? Peut-être qu'il va acheter une villa à Tunis, s'installer là-bas et trouver une femme experte en couscous...

Tiens, à propos de mariage, j'ai grillé ma mère. Elle est amoureuse du maire de Paris. Elle kiffe

Bertrand Delanoë depuis qu'elle l'a vu à la télé poser la plaque de commémoration à Saint-Michel. C'était en souvenir des Algériens balancés dans la Seine pendant la manifestation du 17 octobre 1961. J'ai emprunté des bouquins sur ça à la bibliothèque de Livry-Gargan.

Maman a trouvé Bertrand très bien de faire ça pour la mémoire du peuple algérien. Très digne, très classe. Maintenant qu'elle est célibataire, je pense à faire un appel à Bertrand Delanoë. Une grande campagne d'affichage avec la photo de Maman (celle en noir et blanc qui est dans son passeport) et en dessous une inscription : « Je te kiffe grave, monsieur le Maire, call me... » Il va devenir fou Bertrand s'il voit l'affiche. En plus je crois que lui aussi est seul dans la vie. C'est vrai ça, on l'a jamais vu s'afficher avec des meufs. En plus, ma mère, c'est comme le tiercé : « On a tout à y gagner. » Elle cuisine, fait le ménage et même qu'elle tricote. Je parie que personne lui a encore jamais tricoté un calebard en laine à « monsieur le Maire j'ai l'honneur de vous informer que... ». Il sera super content l'hiver.

L'autre soir, j'ai croisé Hamoudi à côté de la trieuse des poubelles. Il m'a dit qu'il me cherchait justement. Pffff. C'était même pas vrai. J'ai bien vu qu'il allait vers chez Lila.

– Hamoudi, espèce de mytho !

Non, en fait j'ai pas dit ça. J'ai juste dit : « Ah bon... » On a discuté un peu. Il m'a dit qu'il était désolé de ne plus être aussi présent qu'avant... En gros, il m'a fait comprendre qu'il avait une nouvelle vie maintenant et j'ai aussi compris que je n'en faisais plus vraiment partie.

– Hamoudi, je te préférais quand tu étais un voyou et que tu faisais des bras d'honneur aux gardiens de la paix.

Non, en fait j'ai pas dit ça. J'ai juste dit : « Ouais, d'accord. »

Avec Lila, ils ont même des projets de mariage. C'est la mère d'Hamoudi qui doit être contente. Elle aura réussi à marier tous ses enfants. « Dernier niveau atteint. Bonus. Vous êtes un winner. » Elle a rempli sa mission la daronne. Et puis ça arrive au bon moment. Vingt-huit ans, c'est bien, c'est juste avant que sa mère ne commence à se poser des questions... « Ya Allah, mon Dieu, peut-être mon fils c'est une pédale ?! Hchouma... »

Il a intérêt à m'inviter à son mariage Hamoudi. S'il m'invite pas, j'le balance aux keufs... Non, j'rigole. Ça c'est trop grave. Y a un mec dans le quartier qui avait donné ses potes aux flics. Depuis il se fait persécuter et les types dans la cité l'appellent « le harki ». Moi, je suis pas une pourrave. Le pauvre type, sa réputation de traître va le suivre tant qu'il restera à la cité du Paradis. Ici, il suffit que tu fasses un truc un peu mal vu et c'est fini pour toi. T'es catalogué jusqu'à la mort.

Ça me rappelle l'histoire d'une fille qui habitait le quartier y a quelques années. Son histoire, ils en ont même parlé dans le journal. Elle était bonne élève à l'école, tout le monde respectait sa famille dans le quartier et les jeunes du centre-ville, réputés pour être de grosses racailles, aidaient même son père à porter ses sacs quand il revenait du marché le dimanche matin. La fille, elle faisait du théâtre dans une troupe payée par la municipalité de Livry-Gargan et ses parents la laissaient exercer sa passion sans problèmes. Quelquefois même, ils sont venus la voir jouer aux représentations de fin d'année. Bref, ça n'allait pas trop mal pour elle même si ses parents considéraient ces activités comme des passe-temps, au même titre que la peinture le mercredi après-midi au centre de loisirs en grande section de maternelle. Elle, elle aimait jouer et voulait en faire son métier. Lorsqu'elle a eu dix-huit ans, avec sa troupe elle a même pu participer à des pièces dans plusieurs villes de France.

Puis un jour, ses parents ont trouvé une lettre anonyme dans leur boîte aux lettres. Elle a été publiée intégralement dans le journal *Pote à pote* avec le témoignage de cette fille :

Votre fille a beaucoup de mauvaises fréquentations, elle sort beaucoup et marche souvent avec des garçons. On entend des choses sur elle qui salissent votre nom et la réputation que vous avez, *le quartier sait que **** fréquente des jeunes hommes et qu'elle oublie le droit chemin. Dieu dit que vous êtes responsable du chemin de vos enfants. Il faut être sévère avec elle pour qu'elle craigne sa famille et la religion de l'islam. Maintenant les gens et les hommes voient que votre fille est de la rue et qu'elle n'a pas peur. Les Français l'emmènent sur le chemin du mal. On a remarqué qu'elle se maquille, qu'elle colore ses cheveux, ça veut dire qu'elle aime plaire aux hommes et qu'elle tente Satan. S'il arrive quelque chose de honteux, Dieu voit que vous avez été trop libre avec elle et vous êtes aussi coupable comme elle.*

Dieu donne clémence et miséricorde, elle peut revenir à la famille et à notre coutume si vous utilisez la sévérité. La prière doit être une aide de Dieu pour celle qui détourne la route.

Votre famille est une qu'on respecte alors il faut que ça continue. Une fille peut être emmenée dans le droit chemin par son père. Il faut croire au pouvoir que Dieu vous donne pour être une bonne famille.

Après la lettre, tout a changé pour cette fille. L'enfoiré d'anonyme qui a écrit ces conneries avait réussi à convaincre ses parents. Ils se sont sentis coupables d'avoir donné « trop » de liberté à leur fille. Du coup, elle n'avait plus le droit d'aller au théâtre, ni de sortir, même pour aller acheter le pain. Surtout, elle a commencé à entendre parler de mariage. Dernier recours quand les parents ont l'impression que les filles leur glissent entre les doigts.

Dans *Pote à pote*, elle a raconté qu'elle a alors décidé de s'enfuir de chez elle. Aujourd'hui, elle vit seule et n'a pratiquement plus aucun contact avec ses parents. Mais elle est entrée à la Comédie-Française et réussit à vivre de sa passion. Elle a quand même gagné.

Ça y est. J'ai eu seize ans. Seize printemps, comme ils disent dans les films. Personne ne s'en est rappelé. Même pas Maman. Cette année, on m'a pas souhaité mon anniversaire. L'année passée non plus d'ailleurs... Ah si. L'an dernier, j'ai reçu un bon de commande Agnès B. avec un cadeau exceptionnel si je renvoyais le coupon dans les dix jours : « Agnès B. vous souhaite un joyeux anniversaire. » Mais cette année, j'ai rien reçu. Agnès B., elle tape la haine. Elle a de la rancune parce que je lui ai pas renvoyé son coupon de merde la dernière fois. Bouffonne. Je m'en fous. De toute façon, leurs cadeaux sont toujours plus gros en photo qu'en vrai.

Si personne n'a pensé à mon anniversaire cette année, tant pis.

Et puis franchement, je comprends. Je suis pas quelqu'un d'extraordinaire. Il y a des gens, tout le monde se rappelle leur fête. Y en a même c'est marqué à l'éphéméride dans le journal. Mais moi, je suis personne. Et je sais pas faire grand-chose.

Enfin si, je sais faire quelques trucs, mais rien de rare quoi : faire craquer les os de mes doigts de pied, faire couler un filet de salive de ma bouche et le remonter, faire l'accent italien devant le miroir de la salle de bains le matin... Ouais, je me débrouille pas trop mal quand même. Mais si j'étais un garçon, ce serait peut-être différent... Ce serait même sûrement différent.

Déjà, mon père serait encore là. Il ne serait pas reparti au Maroc. Ensuite à Noël 1994, j'aurais sûrement eu les rollers alignés Fisher Price et par la même occasion une réponse à la lettre que j'avais envoyée au Père Noël. Ouais, tout se serait mieux passé si j'avais été un mec. J'aurais eu plein de photos de moi étant gosse, comme la petite Sarah. Mon père m'aurait appris à chiquer du tabac. Il m'aurait raconté pas mal d'histoires salaces qu'il aurait entendues sur les chantiers et puis même que de temps en temps, il m'aurait mis des petites tapes sur l'épaule en signe de complicité, genre « t'es un bon gars toi ! ». Ouais, ouais. Je me serais même amusée à me gratter souvent entre les jambes pour affirmer ma virilité. J'aurais bien aimé être un garçon. Mais bon, il se trouve que je suis une fille. Une gonzesse. Une nana. Une meuf quoi. Je finirai bien par m'y habituer.

L'autre jour avec Maman, on est allées au Taxiphone de la petite place pour appeler Tante Zohra. Les Taxiphone, y en a de plus en plus un peu partout. Avec leurs cabines en bois, leurs portes vitrées et les numéros de poste sur les combinés, ça me rappelle vraiment le pays. Le concept Taxiphone, il est made in bled. Celui qui est sur la petite place, c'est un petit bout d'Oujda à Livry-Gargan.

Tante Zohra va bien. Elle a promis de nous rendre visite bientôt. Elle nous a dit aussi que Youssef serait libéré en mai. Ça avait l'air sûr parce qu'elle a même pas dit « inchallah ». Il paraît qu'au fur et à mesure des visites elle le reconnaît de moins en moins. Elle a dit à Maman qu'il commence à tenir des discours très extrêmes, encore pires que ceux de son père. Vu la comparaison, je me dis qu'en effet, ça doit être grave.

Il a dû rencontrer des gens étranges en zonzon. Youssef, lui qui était si tranquille avant et surtout plus ouvert que la plupart des types de son âge...

Aujourd'hui, il parle de péchés graves, de punitions divines. Avant il s'en foutait un peu de tout ça. Il allait même s'acheter des chips au bacon en cachette pour savoir quel goût ça avait. Je trouve ça louche ce changement trop soudain. Quelqu'un a dû profiter de sa fragilité carcérale pour lui rentrer des grosses disquettes dans la cervelle. Vivement le mois de mai qu'il sorte.

Pour les bonnes nouvelles, je suis tombée sur un reportage du journal régional de France 3 l'autre soir et qui je vois à l'écran toute pimpante avec un boubou rose ? Fatouma Konaré, l'ancienne collègue de ma mère au Formule 1 de Bagnolet. Y avait marqué son nom dans le reportage avec en dessous : « Déléguée syndicale ». Le commentaire disait que les filles avaient gagné la lutte. Leurs revendications seraient entendues prochainement. Même les salariés qui ont été licenciés pendant la période de grève ou ceux qui sont partis sans indemnisations verront ces préjudices réparés. Ça veut dire aussi que Maman va toucher des sous, même si elle était pas gréviste ? D'un coup, toutes mes pensées sont allées vers ce gros con de M. Schihont. Il a dû bien se faire gratter. Ha Ha Ha ! Bien fait !

Eh ben voilà, ça me suffit comme cadeau d'anniversaire, savoir qu'il y a une justice ici-bas. Je commençais à sérieusement en douter. J'en avais marre d'entendre sans arrêt : « La roue tourne. » Je voyais pas de quelle roue on parlait, et en plus, c'est con comme expression.

Avec tous les événements de cette année de toute façon, je me disais que la vie, franchement, c'est trop injuste. Mais là depuis quelque temps, j'ai un peu changé d'avis... Plein de choses sont arrivées qui ont changé mon point de vue. Le passage de Patrick Dils à l'émission « Tout le monde en parle ». La situation des nettoyeurs du Formule 1 de Bagnolet. Hamoudi et Lila qui se marient en avril prochain. Et comme dernier truc, le changement de Maman depuis un an. C'est en la voyant aller mieux tous les jours, se battre pour nous faire vivre toutes les deux que j'ai commencé à me dire que tout se rachète, et qu'il va peut-être falloir que je fasse comme elle.

Pour le travail, je commence à lui ressembler parce qu'au CAP coiffure, aucun répit. Séchage, coiffage et quand on a fini, eh ben on recommence. Sans arrêt. Même Dieu il s'est reposé le septième jour. C'est pas normal. Mais ce qui me rassure, c'est que je me débrouille pas trop mal à l'école cette année. Remarque, si j'avais été nulle en CAP coiffure, je me serais inquiétée.

Mme Burlaud m'a dit que la thérapie était terminée. Je lui ai demandé si elle était sûre. Elle a rigolé. Ça veut dire que je vais bien. Ou alors qu'elle en a marre de mes histoires. Elle doit péter un câble avec tous les trucs que je lui raconte.

Je suis contente que ça s'arrête parce que y avait quand même des petits trucs qui me dérangent chez elle. Déjà son nom... Burlaud, non mais sérieux, ça rime à rien comme nom, et puis ça sonne moche. Après y a son parfum qui pue le Parapoux et ses tests chelous censés être révélateurs... Et puis, elle est vieille. Elle vient d'un autre temps. Je le vois bien quand je lui parle, je suis obligée de faire attention à tout ce que je dis. Je peux pas placer un seul mot de verlan ou un truc un peu familier pour lui faire comprendre au mieux ce que je ressens... Quand ça m'échappe et que je dis « vénère » ou « chelou », elle comprend autre chose ou bien elle fait sa tête de perf. Faire sa tête de perf, ça veut dire faire une tête d'idiot, parce que les classes de perf (perfectionnement), à l'école primaire, c'étaient les classes des enfants les plus en retard, ceux qui avaient de grosses difficultés. Alors on dit « perf » pour signaler à quelqu'un qu'il est un peu con quand même...

Voilà, Mme Burlaud et moi, on était pas tout à fait sur la même longueur d'onde. Cela dit, je sais que c'est grâce à ça que j'ai réussi à aller mieux. Je nie pas qu'elle m'a aidée énormément. Tiens, je lui ai même dit merci à Mme Burlaud. Un vrai merci.

Mais elle, en partant, elle m'a dit quelque chose qui m'a fait bizarre : « Courage. » J'avais l'habitude d'entendre : « À lundi prochain ! » Mais là, elle m'a dit : « Courage. » Ça m'a fait la même chose que la première fois que j'ai fait du vélo à deux roues.

Une fois, Youssef m'avait prêté son vélo. Il m'avait dit qu'il me pousserait pendant que je pédalerais, et à un moment, alors que je m'y attendais pas, il m'a dit : « J'ai lâché ! » Sa voix, elle était lointaine. Il m'avait lâchée depuis longtemps. Et je continuais à pédaler. Le « courage » de Mme Burlaud, il m'a fait le même effet que le « j'ai lâché ! » de Youssef. Ça y est, elle m'a lâchée.

En sortant, je me suis sentie un peu comme dans l'avant-dernière scène d'un film, quand les héros ont à peu près résolu le problème et qu'il est temps de construire la conclusion. Sauf que moi, la mienne de conclusion, elle sera plus longue et plus dure que celle de *Jurassic Park*.

Par exemple, je sais toujours pas ce que je veux faire pour de vrai. Parce que la coiffure, disons que c'est un truc en attendant. Un peu comme Christian Morin. Il a fait « La Roue de la fortune » pendant des années, mais sa vraie voie, c'était la clarinette...

Hier, j'ai reçu une visite inattendue. Nabil le nul est venu chez moi pendant que Maman était sortie. J'ai ouvert la porte. Il était là, appuyé sur le mur, parfumé et rasé. Il a enlevé sa casquette, m'a souri et a dit :

– Salut, ça va ?

Je suis restée un quart de siècle à l'observer sans rien dire, aussi surprise que les types qui gagnent au tirage au sort annuel de Casino Magasins. Puis, au bout d'un petit moment de réflexion, j'ai pensé que je pouvais le faire entrer. On est allés s'asseoir et on a discuté. De ses vacances à Djerba, du dernier livre qu'il a lu, de son année de terminale... Il m'a expliqué qu'il avait passé son bac l'an dernier mais qu'il ne l'avait pas eu. Évidemment, pour sa mère, ça a été un vrai cauchemar, bien plus que pour lui. Cette ***** (encore de l'autocensure), elle lui a dit qu'il passait trop de temps chez moi, et qu'il m'aidait trop souvent, soi-disant ça l'a empêché de faire son propre boulot et de réviser ses examens. C'est de ma faute maintenant ?

Ouais, on a vraiment discuté de tout. Même de... du truc qui me faisait un peu honte quand même. Ce que vous savez.

Nabil m'a dit qu'il était désolé de m'avoir embrassée par surprise et qu'il espérait que ça m'avait pas trop embêtée. J'ai dit non. Alors, il a recommencé. Sauf que cette fois-ci c'était mieux, plus maîtrisé. Il a dû s'entraîner dans son club de vacances à Djerba avec une Allemande de dix-sept ans, venue faire du tourisme avec ses parents journalistes dans la presse à scandale bavaroise. Elle devait être blonde aux yeux verts, s'appeler Petra et avoir de très gros seins.

En tout cas, après, il s'est pas sauvé. On a regardé la télé lui et moi et on a continué à parler. Il me caressait même les cheveux (heureusement, j'avais pas mis de Zit Zitoun cette fois-ci). Je lui ai raconté plein de choses sur moi, ma famille et encore d'autres trucs qu'il savait pas... Je lui ai parlé d'Hamoudi, des souvenirs des poèmes de Rimbaud qu'il me récitait dans le hall 32 et Nabil, là il m'a surprise encore une fois. Il se met à me réciter par cœur « Les Étrennes des orphelins » et il s'arrêtait pas aussi souvent qu'Hamoudi, lui, il bombardait dans le poème. C'était beau. Sauf à la fin, il a un peu tout gâché parce qu'il m'a regardée avec son sourire en coin et il a dit : « Ça t'impressionne, hein ? » J'ai dit non, alors il a rigolé. Voilà, je suis réconciliée avec Nabil et je crois aussi que... je l'aime bien. Mercredi, il doit même m'emmener au cinéma. Je suis trop contente. La dernière fois que j'y suis allée, c'était avec l'école pour voir *Le Roi Lion*.

J'ai aussi recroisé Hamoudi, Lila et Sarah ce week-end. J'allais au centre commercial faire des courses pour Maman et ils m'ont klaxonnée. J'ai mis du temps pour me retourner et constater que c'est moi qu'on sonnait. C'est vrai ça, d'habitude, je me retourne jamais quand j'entends klaxonner ou siffler parce que c'est toujours pour l'autre poufiasse derrière moi avec son haut rose bonbon à paillettes et son jean moulant. Il se trouve que là, elle était pas là cette bouffonne. Donc je suis montée avec eux pour aller au centre commercial.

Ils sentaient le bonheur familial à plein nez. J'ai réalisé que c'est ce qui était arrivé de mieux à Hamoudi depuis que je le connaissais. J'ai aussi remarqué qu'Hamoudi a encore changé de voiture. Cette fois-ci c'était une Opel Vectra rouge. Exactement la même que celle que l'assistante sociale s'était fait chourave sur le parking en bas de chez moi. Mais bon, j'ai pas posé de questions.

D'ailleurs en parlant de l'assistante Cyborg, elle a été mutée en Vendée, parce que Mme Dumachin elle est revenue de son congé de maternité. Elle a enfin accouché de sa crevette. Bien sûr, quand elle est revenue nous voir à la maison, Dubidule avait pris soin de nous apporter des photos de sa progéniture. On a donc eu la chance de voir Lindsay (c'est comme ça qu'elle l'a appelée... sans commentaire) encore enduite de placenta dans les bras de sa Maman (je sais pas comment elle a fait Dumachin mais son brushing tenait toujours après l'accouchement), Lindsay dans le bain, Lindsay avec son papa sur le canapé Ikea, Lindsay faisant dodo dans son berceau, Lindsay chez les Picaros, Lindsay au Tibet, et enfin Lindsay et les bijoux de la Castafiore. Elle avait l'air heureuse l'assistante sociale classe mannequin d'avoir eu sa petite Lindsay, déjà prédestinée pour tourner des pubs Pampers dans quelques mois...

Mme Dutruc, elle a constaté un « véritable changement » chez nous. Elle a dit qu'elle essaierait de débloquer encore un peu de sous au service social pour qu'on parte en vacances l'été prochain, sans doute au bord de la mer. Alors là... j'suis épatée. Peut-être qu'en fait Mme Dubidule, c'est la fille naturelle de l'abbé Pierre et de sœur Emmanuelle et qu'elle est la générosité incarnée... Soudain, je l'aimais notre chère et adorée assistante sociale. Au bord de la mer ! Si c'est pas beau... Je retire tout ce que j'ai dit sur toi, ton mari et ton bébé Dutruc. Pardon. T'es peut-être une gentille fille au fond.

Bref, pour en revenir à Hamoudi et Lila, pendant que je les accompagnais en courses, ils m'ont reparlé du mariage. Tous les deux, ils veulent faire un mariage traditionnel. C'est bizarre quand même, je m'y attendais pas de leur part. En tout cas, ça fera plaisir aux parents de Lila. Elle m'a raconté qu'elle s'était réconciliée avec eux y a quelques jours à peine alors que ça faisait cinq ans qu'ils s'étaient plus parlé, en fait depuis le jour où Lila avait décidé d'épouser le père de Sarah. La mère d'Hamoudi, elle crie sur tous les toits de la cité que son dernier fils va se marier. D'après Rachida (source sûre), beaucoup de gens voient ce mariage d'un mauvais œil parce que Lila est divorcée et qu'elle a déjà eu un enfant avec un Français de souche. Mais les futurs mariés, eux, ils s'en foutent. Donc c'est un détail.

Pendant que Lila essayait des pompes chez André, j'ai tout raconté à Hamoudi à propos de Nabil. Il avait l'air super content pour moi, comme s'il m'arrivait quelque chose d'extraordinaire. J'espérais qu'il réagisse comme ça Hamoudi. Je le connais bien, c'est pas le genre de type méprisant à penser qu'une fille qui a un petit copain, c'est une ****. Enfin, vous voyez ce que je veux dire quoi...

– Alors tu veux nous devancer et te marier avant nous ? Il est beau ton Nabil ? J'le connais si c'est un petit du quartier, non ?

– Il a de grandes oreilles mais il est très gentil et intelligent et...

– Ha ! ça y est, ça commence... C'est fini, c'est plus kif-kif demain comme tu me disais tout le temps ?...

C'est vrai ça. J'avais presque oublié. Hamoudi, lui, il s'en souvient. Quand il a dit ça, ça a failli me décrocher la larme. C'est ce que je disais tout le temps quand j'allais pas bien et que Maman et moi on se retrouvait toutes seules : kif-kif demain.

Maintenant, kif-kif demain je l'écrirais différemment. Ça serait kiffe kiffe demain, du verbe kiffer. Waouh. C'est de moi. (C'est le genre de trucs que Nabil dirait...)

Ils ont peut-être raison les gens qui disent tout le temps que la roue tourne. Elle tourne peut-être vraiment cette putain de roue. Et puis c'est pas grave si Jarod dans *Le Caméléon*, il est homosexuel, parce que Nabil m'a dit que Rimbaud aussi l'était... C'est pas grave non plus si j'ai plus mon père, parce qu'il y a plein de gens qu'ont plus de père. Et puis j'ai une mère...

En plus, elle va mieux. Elle est libre, lettrée (enfin presque) et elle a même pas eu besoin de thérapie pour s'en sortir. Il lui manque plus que son abonnement à *Elle* et c'est une femme accomplie. Qu'est-ce que je peux demander de plus ? Vous pensiez que j'allais dire « rien » ? Eh ben, si, il me manque encore des tas de trucs. Ici, y a plein de trucs à changer... Tiens, ça me donne une idée, ça. Pourquoi je ferais pas de la politique ? « Du CAP coiffure à l'élection présidentielle, il n'y a qu'un pas... » C'est le genre de phrase qui reste. Faut que je pense à en faire plus des comme ça, comme les citations qu'on peut lire dans les livres d'histoire de quatrième, style ce bouffon de Napoléon qui a dit : « À tout peuple conquis, il faut une révolte. »

Moi, je mènerai la révolte de la cité du Paradis. Les journaux titreront « Doria enflamme la cité » ou encore « La pasionaria des banlieues met le feu aux poudres ». Mais ce sera pas une révolte violente comme dans le film *La Haine* où ça se finit pas hyper bien. Ce sera une révolte intelligente, sans aucune violence, où on se soulèvera pour être reconnus, tous. Y a pas que le rap et le foot dans la vie. Comme Rimbaud, on portera en nous « le sanglot des Infâmes, la clameur des Maudits ».

Faut que je côtoie moins Nabil, ça me donne de forts élans républicains...

Le
Livre
de
Poche

Composition réalisée par IGS

Achevé d'imprimer en octobre 2009, en France sur Presse Offset par
Maury-Imprimeur - 45330 Malesherbes
N° d'imprimeur : 150827
Dépôt légal 1re publication : septembre 2005
Édition 09 - octobre 2009
LIBRAIRIE GÉNÉRALE FRANÇAISE - 31, rue de Fleurus - 75278 Paris Cedex 06

31/1375/0